CHAPTER ONE

Sketches of
Canadian Life
under
The French Regime

JOSEPH KAGE

CHAPITRE PREMIER

Esquisses de la vie
Canadienne
sous
Le Régime Français

THE EAGLE PUBLISHING CO., LIMITED
4075 ST. LAWRENCE BOULEVARD
MONTREAL, CANADA
1964

PRINTED IN CANADA

To my immigrant parents
and to my children, born in Canada,
Canadians by choice . . .
Canadians by birth . . . —
CANADIANS ALL!

INTRODUCTION

This book was initially published in English under the title: THE DAWN OF CANADIAN HISTORY. The present bilingual version is, therefore, in a sense, its second edition.

These stories about life in Canada under the French Regime are presented with the view of acquainting the reader with the exploits and accomplishments of Canada's first European settlers. It is hoped that the contents of this book will communicate to the reader, in some small measure, the living reality of early French Canada — a nation founded by sturdy settlers and courageous immigrants. It is also hoped that this bilingual edition may serve as a refresher and as supplementary material in Canadian schools and citizenship classes. The bilingual structure of the book may also be helpful in furthering the cause of bilingualism in Canada.

The book is not intended to be a scholarly historical appreciation, but rather an exposition of the human factor in the unfolding of early Canadian history. The sketches were written with the intention of capturing the breath of life of that period; for the personality of the leaders rather than the all important date; for what was sad and difficult, courageous and humorous; for the varied nuances in the lives of Canada's first pioneers.

I am greatly indebted to Mrs. Y. Davies, Mme. Y. Gascon and Mr. M. VanSchendel for their help in preparing the French translation.

JOSEPH KAGE

Outremont, P.Q.

January, 1964

INTRODUCTION

Le présent ouvrage a déjà été publié en anglais, sous le titre: THE DAWN OF CANADIAN HISTORY. La version bilingue actuelle est donc, en quelque sorte, une deuxième édition.

Ces relations de la vie au Canada, sous le régime français, ont pour but de familiariser le lecteur avec les hauts faits et les réalisations obtenues dès les premiers temps de la colonie. Nous espérons avoir contribué ainsi — pour notre modeste part — à donner une image vivante du Canada français, de ses premiers colons et de ses courageux immigrants. Puisse cette édition bilingue trouver un écho dans la mémoire de nos lecteurs adultes; puisse-t-elle aussi servir de lecture complémentaire au sein de nos écoles canadiennes et des cours donnés aux nouveaux citoyens de notre pays. Nous souhaitons de tout coeur que cet ouvrage contribue, à sa manière, à la cause du bilinguisme au Canada.

Plutôt qu'une évaluation critique de l'histoire, nous nous sommes attaché à déceler les facteurs humains qui ont joué au cours de l'élaboration de l'histoire du Canada à ses débuts.

Chaque sujet dont nous avons traité nous a permis de mettre en lumière l'esprit de l'époque où se déroulaient ces événements. Nous avons accordé plus d'importance à la personnalité des têtes dirigeantes qu'à la nomenclature des dates. Les chagrins et les déboires de la vie des premiers pionniers canadiens, le trait amusant qui ressort inopinément parmi les mille et un faits de la vie quotidienne: voilà qui relève véritablement de notre propos.

Je remercie madame Y. Davies, madame Y. Gascon et monsieur M. Vanschendel qui ont apporté leur concours à la traduction française de ce volume.

JOSEPH KAGE

Outremont, P.Q.

Janvier, 1964

PREFACE

Je tiens à rendre hommage au Dr. Joseph Kage pour son ouvrage sur l'histoire du Canada. Ce qui différencie cette nouvelle édition des autres, c'est que ce livre a été traduit en français.

Si vous visitez l'église Notre-Dame de Montréal, vous y trouverez une série de vitraux racontant les principaux faits de l'histoire du Canada: Jacques Cartier à Hochelaga, 1535; la fondation de Ville Marie (Montréal), 1642; Maisonneuve portant une croix au Mont Royal, 1643; le sacrifice de Dollard et de ses compagnons, 1660; Jeanne Mance, fondatrice de l'Hôtel-Dieu, 1663; et cetera.

Ces faits et gestes de nos pionniers, le Dr. Kage a voulu les fixer dans une suite de récits qu'il a su dépeindre avec beaucoup de vivacité, de couleurs et de sincérité.

Les forces obscures ont poussé les hommes vers de nouveaux rivages où ils ont implanté leur civilisation. Nous nous penchons sur ces siècles lointains au cours desquels les colons, venus de France et d'Angleterre, se livraient bataille pour la conquête de l'Amérique du Nord.

Bien qu'il soit bon de revivre le passé, nous croyons avec A. Malraux que: "Le passé ne nous fascine pas dans la mesure où il ressemble à notre temps; ce qui nous fascine, ce sont les formes que l'homme a prises sur la terre, et à travers lesquelles nous tentons de le connaître".

Sans oublier le passé, c'est vers l'avenir que nous devons tourner les yeux. Depuis la fin de la deuxième guerre mondiale, des milliers et des milliers d'immigrants de toutes les parties du monde sont entrés au Canada. C'est une richesse pour notre pays que cette migration de deux millions de nouveaux canadiens qui ont choisi le Canada comme leur nouvelle patrie. Souhaitons que cette caravane humaine ne continue pas sa marche vers d'autres contrées, mais s'arrête et s'installe à demeure dans notre pays, à l'exemple de nos ancêtres qui, longtemps balottés par les vagues, s'écrièrent finalement, dans un élan d'amour et d'espérance: "Terre!" en apercevant le Canada.

RENE DEGUIRE, C.R.,
Président de la
Cour de la Citoyenneté Canadienne, Montréal

DR. JOSEPH KAGE has validly subtitled his book as sketches on Canadian life under the French regime, since he has chosen some of the very romantic and adventurous incidents. Instead of trying to produce a continuous story of colonisation and development and of the arts of war and peace, he has rather worked the material into sketches of individuals, silhouettes of soldier, sailor and candlestickmaker. He has also given glimpses of movements of peoples and an assessment of their institutions. This allows the uninitiated what might be called a window-shopping expedition.

How often has a teacher asked for a text which a student could read simply for pleasure? How often has a pupil yearned for a readable and interesting book to assist him in his quest for knowledge? The author has, to some extent, met these objectives in these sketches of l'ancien régime.

Dr. Kage is an experienced social worker who has special qualifications because of his intimate knowledge of the needs of the immigrant population to whom the story of the origins of Canadian history are a complete blank. His special interests have brought him into close touch with the needs of newcomers. These people want and should have a working knowledge of the history of the country of their choice. Otherwise they will fail to understand the milieu in which they live. In a sense, very young people also face the same void and need a history based on heroes, on romantic figures and on deeds of derring-do. Presenting such a public with the imposing tomes of systematic histories, is to guarantee maintaining the gap in knowledge and so Dr. Kage's work does for such students what these more usual works cannot do.

Cleo is a demanding muse and one wonders if she will be appeased by Dr. Kage's method. This is not as important an avenue of inquiry as the one which asks if the thirst for knowledge of the young reader or the recently arrived immigrant, will be assuaged from Dr. Kage's carte de menu. His interesting selection of subject matter will undoubtedly clarify much for such students and if taken along at some later stage with standard texts, will be very useful for the initiate.

For some reasons which are difficult to explain, history books terrify most people and divert the student before he actually starts the exciting journey. It is therefore very important for the beginner to travel a smooth road, enjoy the scenery and be encouraged to want to undertake further, more difficult and more extensive voyages. The present book of sketches is such a cicerone. It neither is, nor pretends to be, a substitute for the systematic approach to the writing of history. It is a companion piece, it is a prolegomena, and it is a readable compilation of the most picturesque and dramatic events of the early days.

John Burroughs was wise when he said that if we want to learn something new, we should travel the road we traveled yesterday. A

widespread use of such texts as Dr. Kage provides, can be of help to those who would understand the issues of today. French Canadians are very proud of their history. Nationalism is nothing new and indeed these motivations are well contained in the motto of the Province of Quebec, "Je Me Souviens" — I remember. It goes further than a mere total recall and also subsumes the enjoinder "Notre langue, nos institutions et nos lois". No newcomer, or child, or person, ignorant or forgetful of Canada's early history, can do without a simply told story of the stirrings and longings and folk memories. The sketches presented herein usefully and readably, serve the purposess and help to prepare the reader to understand modern French-Canada. In this sense too, it is recommended; in this sense too, teachers and pupils will appreciate Dr. Kage's efforts.

SAUL HAYES, Q.C.,
Executive Vice-President
Canadian Jewish Congress.

Nous nous rejouissons de la publication de ce livre relatant les premiers faits qui ont entouré la fondation de notre pays, le Canada. Nous avons là, en somme, l'histoire de la Nouvelle-France, première appellation donnée à ce grand pays qu'est le nôtre.

Le lecteur y trouvera, groupée et relatée sans prétention, la vie des premiers hommes et des premières femmes qui ont forgé la naissance de la nation canadienne. Leurs ambitions, leurs misères, leurs succès ou insuccès, sont dépeints avec réalisme, marqué au coin d'une grande objectivité, qui est tout à la louange de l'auteur.

Rédigées dans un style simple, ces pages permettront aux nouveaux Canadiens de s'initier d'une manière à la fois facile et intéressante à la connaissance de l'histoire de leur nouveau pays d'adoption. De plus, ces récits seront pour eux une source d'encouragement et d'inspiration dans la vie nouvelle qui s'offre à eux.

Le lecteur ordinaire y trouvera aussi son profit à relire ces pages. Dans le brouhaha de la vie, tous, nous oublions facilement que ceux qui nous ont précédés, nos ancêtres quoi, ont rencontré de grandes difficultés. Mais combien précieux sont les exemples de courage et de ténacité qu'ils nous ont légués. Quel enthousiasme renouvelé nous pouvons puiser dans la vie de ces conquérants!

Nous formulons le voeu que "Origines du Canada" reçoive une large diffusion. Il y a droit.

RENE GAUTHIER,
Directeur du Bureau des Néo-Canadiens
à la Commission des Ecoles Catholiques de Montréal.

*It is a Pleasure for me to express a few thoughts to the readers of "The Dawn of Canadian History", especially when this book may be, for many, the first glimpse of events that shape the Canadian Nation.

It has been said that "the historic moment is always simple and brief." It may also be said that history is made by humble folk who little dream that their names will live through ages. Many of the men and women whose stories are told in the pages of this book were such humble folk who had emigrated from Europe to the New World to find a more satisfying life. Their deeds, however, and the events in which they became involved, are fibres out of which the early history of the Canadian nation is woven.

History is, of course, a living thing, for the events of to-day are the history of to-morrow. We must, therefore, keep ourselves constantly informed on events in our own country and throughout the world if we are to understand the course of history; if we are to be an enlightened people. Thus, the contents of this book should be regarded merely as an introduction to the Canadian history which is constantly unfolding before our eyes.

It is my hope that the reader will delve more deeply into the history of our country, for it will prove to be a most satisfying experience.

Laval Fortier,

Deputy Minister of Citizenship and Immigration.

Preface to the first edition, 1955.

Table of Contents

(Continued on next page)

Table des matières

(Suite à la prochaine page)

Table of Contents

Table des matières

(Continued from previous page)

(Suite de la page précédente)

(Continued on next page)

(Suite à la prochaine page)

Table of Contents

Table des matières

(Continued from previous page)

(Suite de la page précédente)

CHAPTER ONE

CHAPITRE PREMIER

THE FIRST DISCOVERERS OF CANADA

SINCE the dawn of history, people have preferred to think that, without exception, every event has a beginning and an end. Perhaps it is easier to think in this way since it simplifies matters for us. In reality, however, we might say that there is only one Genesis and what follows is merely a continuation.

It is a generally accepted fact that Christopher Columbus discovered America. His famous voyage in 1492 made Europeans aware of the existence of a new continent. It would not be historically correct, however, to say that Columbus was the first white man to visit the shores of the new world. It is not known who the first discoverers of America really were. We do know that the American Indians had been living on this continent for thousands of years prior to Columbus' expedition. It is assumed that the ancestors of these native Indians originally came from Asia, although there is no definite evidence that this was the case. We should perhaps consider the Indians to be the discoverers of America. Today when we speak of the discoverers of America we actually have in mind its discovery by Europeans.

We know that certain Europeans had landed in America long before Columbus crossed the Atlantic Ocean. In the Royal Library of Copenhagen, there is an ancient volume that tells the story of Leif Ericson, who came to America from Denmark approximately 1,000 years ago.

Who was Leif Ericson?

In the part of the world which we now call the Scandinavian countries there once lived a people known as the Norsemen. They were hardy children of the sea, daring and adventurous, who in their sturdy boats travelled far and wide. They invaded many strange lands and would sometimes settle in some of them for awhile.

About the year 900 A.D., the Norseman Gan Bjorn, while on one of his journeys, was carried by a storm to a far-off land, where he was forced to spend the winter. Upon his return home he told his friends about his adventures but his story was soon forgotten.

Some eighty years later a Norseman, Eric the Red, committed a crime. It is said that he killed a man and was forced to flee his country. Eric had heard the story of Gan Bjorn and of the distant land that he had visited. In a small boat, manned by a scanty crew, he set out to find this new land. After a hard and stormy voyage, Eric and his band came within sight of what is now known as Greenland. In those days Greenland was as yet uninhabited. No trees grew on its rocky shores and there was very little grass to be seen anywhere. It did not appear to be a "green land", but Eric gave it that name, as, it is said, he wanted people to believe that it was a fine and fertile territory. Other Norse-

LES PREMIERS EXPLORATEURS DU CANADA

DEPUIS le début des temps, les hommes ont préféré croire que tout événement avait un commencement et une fin. Cette façon de penser facilite certes les choses. La réalité est autre: seule la Genèse est certaine et tout ce qui suit n'en est que la continuation.

Il est généralement admis que Christophe Colomb a découvert l'Amérique. Cela n'est pas tout à fait exact. Au retour de son fameux voyage en l'an 1492, Christophe Colomb apprit aux Européens l'existence d'un nouveau continent. Cependant, la vérité historique ne permet pas d'affirmer que Christophe Colomb ait été le premier homme blanc à débarquer au Nouveau Monde. Quoi qu'il en soit, nous ne savons pas encore avec certitude quels furent les premiers découvreurs de l'Amérique. Il est indéniable que les Indiens d'Amérique vécurent sur ce continent des milliers d'années avant l'expédition de Christophe Colomb. On présume que leurs ancêtres étaient originaires de l'Asie, bien qu'on ne puisse le prouver absolument. Peut-être devrions-nous considérer ces Indiens comme les premiers et véritables découvreurs de l'Amérique . . . De nos jours, lorsque nous parlons de la découverte du continent américain, nous nous référons au voyage des explorateurs européens.

Il est notoire que certains Européens arrivèrent en Amérique bien avant la traversée de l'Atlantique par Christophe Colomb. La Bibliothèque royale de Copenhague, au Danemark, possède un volume ancien relatant l'histoire de Leif Ericson, qui se rendit en Amérique il y a quelque mille ans.

Qui était Leif Ericson?

Dans la partie du monde connue aujourd'hui sous le nom de Scandinavie vivait autrefois le peuple des "Nordiques". C'étaient de valeureux hommes de mer, hardis et aventureux. Ils naviguaient de par le monde à bord de solides bateaux de bois. Ils visitèrent et envahirent plusieurs pays lointains, y demeurant parfois un certain temps.

Vers l'an 900 après J.C., au cours d'une expédition, un Nordique du nom de Gan Bjorn, fut emporté par la tempête vers une région lointaine où il fut forcé d'hiverner. A son retour, il raconta à ses amis enthousiasmés des histoires fabuleuses. . . qui furent vite oubliées.

Quelque quatre-vingts ans plus tard, un autre Nordique, Eric le Rouge, commit un crime. La chronique rapporte qu'il tua un homme et fut banni de son pays. Eric avait entendu les histoires de Gan Bjorn, aussi décida-t-il de partir à la recherche de ce nouveau pays. Il s'embarqua à bord d'un petit voilier, avec un équipage très restreint. Après un long et pénible voyage, Eric et ses compagnons aperçurent les côtes du pays connu aujourd'hui sous le nom de "Groenland" (littéralement: Terre Verte). A cette époque, le Groenland était inhabité. Avec ses rives rocheuses, sa terre dénudée d'arbres, sa végétation clairsemée, cette contrée ne ressemblait nullement à une "Terre Verte". Mais on rapporte qu'Eric l'appela ainsi parce qu'il désirait que l'on crût qu'il s'agissait d'un pays riche et prospère. Peu de temps après,

men soon became interested in this new land. Many travelled to it and in time Greenland grew into quite a large settlement that thrived for a few hundred years. The inhabitants of Greenland made frequent journeys to Europe for the purpose of trade. In general they seem to have led an active and industrious life. For reasons not known to us, the settlement eventually disintegrated and disappeared.

Eric the Red had a son by the name of Leif Ericson, which means, Leif, the son of Eric. About 1000 A.D. Leif paid a visit to Norway where he became converted to Christianity. Carrying with him the blessings of Olaf Trigeasan, the Norwegian king, Leif set out on his return journey home. His intention was to bring Christianity to his people. However, he did not reach Greenland as he had expected. A storm steered his little flotilla off its course. He found that he had landed in an unknown country which he named "Vinland". It is assumed that Leif landed in the area of present day Newfoundland.

Upon his return to Greenland, Eric told many tales about the new land. His stories aroused a great deal of interest among his countrymen. One Norseman, Karlsefni, was especially impressed by them. He undertook to finance and equip an expedition to Vinland and set sail with a crew of 160 men. The expedition travelled for many days before it reached land which they named "Helluland" or the "Land of Flat Stones." It is thought that this was the present territory of Labrador or Baffin Island.

The explorers then proceeded southward until they came to a thickly wooded region which they named "Markland", — the "Land of Forests." It was probably the Atlantic Coast. Karlsefni remained in Markland for a short while and made some attempts to trade with the Indians. Soon after he returned home.

The version of the initial efforts to explore America as related above may not be completely correct but this is not really important. The significant fact to remember, however, is that hundreds of years ago, long before Columbus made his voyage to America, Canada was evidently known to Europeans.

The discoveries mentioned in this story do not appear to have been of practical or lasting value. In fact, these explorations were forgotten soon after the death of the few brave Norsemen whose longing for adventure had led them to find a continent. Hundreds of years passed before any further serious attempts to reach the New World were made.

d'autres Nordiques commencèrent à s'intéresser à ce nouveau territoire, plusieurs s'y établirent et bientôt le Groenland devint une colonie assez vaste qui prospéra pendant quelques centaines d'années. Les habitants du Groenland firent de fréquents voyages en Europe afin de développer leur commerce. Il semble qu'ils menèrent une vie active et laborieuse; mais, pour des raisons inexplicables, la colonie en vint à se désintégrer et finit par disparaître.

Eric le Rouge avait un fils, Leif Ericson (Ericson signifie "Fils d'Eric"). Vers l'an 1000 après J.C., Leif se rendit en Norvège et s'y convertit au christianisme. Emportant la bénédiction du roi de Norvège, Olaf Trigeasan, Leif entreprit le voyage de retour au Grœnland avec l'intention de convertir son peuple au christianisme. Il n'eut toutefois pas l'occasion de mettre ce projet à exécution, car, une tempête s'éleva qui fit dériver sa petite flotte. Il débarqua sur une terre inconnue et la nomma "Vineland" ou "Terre de la Vigne". Il est probable que Leif avait débarqué dans les environs de la ville actuelle de Yarmouth, en Nouvelle-Ecosse.

De retour au Groenland, Leif entoura le récit de ses aventures d'une foule d'anecdotes qui suscitèrent la curiosité de ses compatriotes. L'un d'entre eux, un nommé Karlsefni, fut particulièrement impressionné, au point qu'il décida de financer et d'équiper une expédition à destination de la contrée mystérieuse. Il s'embarqua avec un équipage de cent-soixante hommes. La petite troupe navigua de longs jours avant d'atteindre un pays qu'elle dénomma "Helluland" ou "Pays des pierres plates". Il s'agit vraisemblablement du territoire actuel du Labrador ou de l'île de Baffin.

Les explorateurs se dirigèrent ensuite vers le sud, jusqu'au jour où ils atteignirent une vaste contrée richement boisée qu'ils appelèrent "Markland" — "Pays des Forêts" — et qui était probablement la côte de l'Atlantique. Karlsefni y resta un certain temps, durant lequel il essaya de faire du commerce avec les Indiens. Puis, il rentra dans son pays.

Cette version des premières tentatives d'exploration de l'Amérique n'est peut-être pas strictement conforme à la vérité. Mais cela n'a pas tellement d'importance. Car, le phénomène déterminant, celui qui sollicite notre attention, c'est que, de toute évidence, les Européens connaissaient l'existence du Canada il y a plusieurs centaines d'années, bien avant le voyage de Christophe Colomb en Amérique.

Les découvertes que nous venons de relater ne semblent pas avoir eu de conséquences pratiques ou d'effets durables. De fait, l'exploit des quelques braves Nordiques que leur goût de l'aventure poussa vers le nouveau continent fut oublié peu après leur mort. Il fallut des centaines d'années et des efforts plus explicites et plus résolus, avant qu'on mît à nouveau le cap sur le Nouveau Monde.

RENAISSANCE — THE SEED OF CANADA'S CIVILIZATION

THE story is told that when Columbus landed on the Island of San Salvador — where he first touched the soil of the American continent — the natives of the Island, the Indians, came to meet him. Upon seeing the great ships and the white people, they cried out: "God be praised! At last we have been discovered!"

The 12th of October, 1492, when Columbus landed on the island, is recognized as the date on which the entire American continent was discovered.

The well-known Canadian historian, Arthur Lower, expressed himself admirably when he said that Canadian history must begin before the birth of the Canadian nation. Canada of today is the child of European civilization and the American wilderness. All of America has had its beginning in the ferment of that historical European era known as the Renaissance.

It is difficult to divide the history of human civilization into precisely defined periods. The warp and woof of today has been spun in all its yesterdays, as surely as tomorrow is of a piece with the present. Nevertheless, in human history — as in the history of an individual — there are periods remarkable for their events, for their dreams, and for the force of their aspirations. The fifteenth century — the period of the Renaissance — was a time of upsurge in human thought and in every field of activity on the European continent. New forces, which sought to expand human thought and vision, revealed themselves and, at the same time, reached out to discover the physical world around them.

Europe became too small for the restless men of the Renaissance. The unknown African continent, the distant lands of Asia, India and China stirred the European imagination. Brave seamen and adventurers sought a new route to those countries and, in the process of seeking, discovered a new world — the American continent.

The advances made in the sciences of geography and astronomy convinced men that the world was round, while invention of the printing press made books more readily available. A thirst for knowledge of the world about them made itself felt. It is quite possible that the men of the Renaissance were thinking of the distant journeys made by the Norsemen hundreds of years earlier, or of the adventures of Marco Polo, who visited and described China in the thirteenth century; or of other distant lands full of treasures waiting to be discovered.

This was also the time when the compass was invented, so that seamen were no longer entirely dependent upon the stars.

European markets carried on a brisk trade in silks, spices, tea,

LA RENAISSANCE: GERME DE CIVILISATION AU CANADA

ON raconte que lorsque Christophe Colomb débarqua dans l'île de San Salvador, foulant ainsi le sol de l'Amérique pour la première fois, les indigènes de l'île, des Indiens, vinrent à sa rencontre et, à la vue des grands bateaux et des hommes blancs, s'écrièrent: "Dieu soit loué! on nous découvre enfin!"

Le 12 octobre 1492, date du débarquement de Christophe Colomb dans l'île, est la date officielle de la découverte du continent américain et par conséquent, du Canada.

Un historien canadien réputé, Arthur Lower, a écrit très justement que l'histoire du Canada commence à une époque antérieure à celle de la formation politique du pays. Le Canada d'aujourd'hui est le produit de l'Europe civilisée et de la sauvage Amérique. C'est au cours de la Renaissance européenne que germa l'Amérique nouvelle.

Il n'est guère facile de répartir l'histoire de la civilisation en époques trop rigoureusement délimitées. Les fils ténus du présent, jadis solidement tissés, lient étroitement notre passé et notre avenir, formant un tout indissoluble. Mais, dans l'histoire de l'humanité — tout comme dans la vie d'un homme — certaines périodes demeurent justement célèbres par leurs événements, leur rêves et la force de leurs ambitions. Le 15e siècle, l'époque de la Renaissance, fut, pour l'Europe, une ère d'élévation de la pensée, une période de progrès et d'initiative dans tous les domaines. De nouvelles forces, cherchant à étendre l'horizon de la pensée et de la vision humaines, se révélèrent et activèrent en même temps la découverte du monde physique qui nous entoure.

En Europe, le champ d'action devint trop restreint pour les hommes impatients de la Renaissance. L'Afrique inconnue, les pays lointains d'Asie — l'Inde mystérieuse et la Chine secrète — stimulèrent l'imagination et l'ambition des Européens. Ils cherchèrent un nouvel accès à ces pays et, en cours de route, firent la découverte d'un nouveau monde: le continent américain.

Les progrès de la géographie et de l'astronomie prouvèrent aux hommes que la terre était ronde. L'invention de l'imprimerie facilita la publication des livres. La fièvre de connaître s'empara de l'Europe. Il est possible que les hommes de la Renaissance rêvèrent aux lointains voyages entrepris par les Nordiques plusieurs siècles auparavant, ou aux aventures de Marco Polo, qui avait visité et décrit la Chine au 13e siècle, ou encore à d'autres pays situés quelque part dans l'inconnu du monde, riches de trésors.

Ce fut également l'époque de l'invention du compas. La navigation en fut facilitée; les étoiles cessèrent d'être les seuls points de repère des marins.

Sur les marchés européens, affluaient la soie, les épices, le thé, les parfums exotiques et d'autres produits de Chine, de l'Inde, de Ceylan et du Japon. De longues caravanes lourdement chargées amenaient ces

perfumes and other products brought from the Far Eastern countries such as China, India, Ceylon and Japan. Caravans brought these goods to the markets of the Orient. From there they were sent to the capitals of Europe. Still, no European except Marco Polo had visited these places, and little was known about them. Their riches tempted the Europeans of the Renaissance, firing their imagination. Trade was carried on under very difficult conditions. Caravans took months to get anywhere and were often plundered during their journeys.

There was another factor which led to further explorations — the religious motive. The Catholic Church wished to bring Christianity to the native populations of the newly-discovered lands. Every expedition was accompanied by missionaries who did their work faithfully. The Catholic Church protected in large measure, the natives from the greed and exploitation of unscrupulous adventurers.

Thus, a combination of causes — the scientific curiosity of the awakened European mind, the drive for fame and riches, and the religious zeal for the spread of Christianity, brought about the discovery and conquest of new countries.

The discovery of a new continent by Columbus helped fire Europe's ambitions. Spain, under whose aegis Columbus had sailed, sent out many further expeditions which returned home loaded with fabulous treasures of gold, silver and precious stones. Portugal, Spain's neighbour, also became an active maritime power. England, followed by France, became interested in overseas possessions. The search for new countries developed with the speed of a forest fire.

Those who followed Columbus hastened the process of discovery by their courage and vision. The wilderness and the riches of the American continent were fertilized with the seed of the European Renaissance. This seed — with all its advantages and drawbacks — is the heritage of all countries on the American continent, Canada amongst them.

produits sur les marchés orientaux, d'où ils étaient ensuite acheminés vers les capitales de l'Europe. Cependant, les Européens, excepté Marco Polo, n'avaient jamais visité ces contrées dont ils savaient fort peu de choses, mais les richesses lointaines les tentaient et excitaient leur imagination. Le commerce se poursuivait dans des conditions très difficiles. Il fallait des mois avant qu'une caravane arrivât à destination, quand elle n'était pas attaquée et pillée en cours de route, ce qui se produisait souvent.

Un autre facteur important activa les recherches. Ce fut la religion. L'Eglise catholique désirait répandre le christianisme parmi la population des continents récemment découverts. Dans cette intention, chaque expédition était accompagnée de missionnaires qui allaient remplir leur devoir avec ferveur. L'Eglise catholique fit non seulement beaucoup de bien, mais aussi, protégea dans une grande mesure les indigènes contre la cupidité et l'exploitation des aventuriers.

Ainsi, la curiosité scientifique et l'éveil de l'esprit européen, la recherche des richesses et l'attrait de la célébrité, le mouvement de propagation du christianisme furent les facteurs conjugués de l'exploration et de la conquête des terres inconnues.

La découverte d'un nouveau continent par Christophe Colomb fouetta une fois de plus les ambitions de l'Europe. L'Espagne, qui avait autorisé le voyage de Colomb, finança l'expédition de nombreux convois qui revenaient chargés d'or, d'argent et de pierres précieuses. Le Portugal, voisin de l'Espagne, se lança lui aussi dans la course aux trésors. L'Angleterre manifesta aussi un certain intérêt dans ce sens. Peu après, la France suivit l'exemple. La fièvre de l'exploration consumait le monde civilisé.

Le courage, l'ardeur des successeurs de Christophe Colomb hâta le succès de l'entreprise. La Renaissance européenne féconda l'opulente et sauvage Amérique. Cette semence, avec tous ses avantages et désavantages, fut l'héritage de tous les pays du continent américain, parmi lesquels se trouve le Canada.

JOHN CABOT

IF the honour of being first to reach the American continent belongs to Spain and to Columbus, the honour of being the first to explore the new land belongs to John Cabot and to England.

John Cabot, or as he was known by his full name — John Cabota, was an Italian, born in the famous port city of Genoa, an important trading centre in those days. There he learned the sciences of commerce and geography. He became an able seaman, eventually rising to the rank of captain.

His trading activities often led him to the markets of the Near East, where caravans gathered with their precious goods from India and China. Being an expert in trade, Cabot was familiar with the difficulties of getting the caravans safely through. He thought a great deal about this and came to the conclusion that he would find a new route to the Far East by sailing west. He also had the example of Columbus, although it is said that Cabot's grasp of geography was far superior to that of Columbus. In any event Cabot had to find a king who would help him by authorizing his expedition.

He went to England and turned to King Henry VII, who agreed to sponsor his expedition. Although Cabot had obtained the King's authorization, he received no money from him and was obliged to undertake the expedition at his own expense. With the help of a few friends he prepared for the journey. King Henry granted the right to discover new lands as yet unknown to Christendom, and these newly discovered lands would be placed under the sovereignty of the English flag.

On the 2nd of May, in the year 1497, Cabot, his son Sebastian, and a crew of eighteen men set sail on a small ship named "Matthew". After fifty-two days at sea, Cabot reached land on June 24th, 1497 — the feast of St. John the Baptist.

The territory reached by Cabot consisted of the mainland and of an island. The name that John Cabot gave to the mainland was "Prima Terra Vista", "First Land Seen". He named the Island "St. John", in honour of the Saint on whose day it was discovered.

This happened one year before Columbus reached the South American Continent on his third voyage. From that point of view John Cabot may be said to have been the first European to have landed on the American Continent.

Lack of provisions forced Cabot to return home immediately. On his return voyage he discovered the island of Newfoundland. On Sunday, August 6th, 1497, he landed safely at the English port of Bristol.

John Cabot's voyage made a profound impression in England because it was believed that he had found a new and shorter route to

JEAN CABOT

SI c'est à l'Espagne et à Colomb que revient l'honneur d'avoir réussi à atteindre pour la première fois le continent américain, c'est à l'Angleterre et à Jean Cabot qu'il faut attribuer l'exploration à l'intérieur des terres du Nouveau Monde.

Jean Cabot — de son vrai nom, Jean Cabota — était d'origine italienne. Il était né dans le fameux port de Gênes, qui était alors un important centre commercial. C'est là qu'il apprit les sciences du commerce et de la géographie. Il devint par la suite un navigateur expérimenté et sut s'élever jusqu'au grade de capitaine.

Ses activités commerciales le conduisirent souvent sur les marchés du Proche Orient, où les caravanes en provenance de l'Inde et de la Chine se rassemblaient avec leurs précieuses cargaisons. Sa connaissance des affaires lui avait permis de se rendre compte à quel point ces caravanes avaient de la difficulté à assurer la tranquilité de leurs voyages. Après avoir étudié le problème, il arriva à la conclusion qu'en naviguant vers l'ouest, il trouverait une nouvelle route d'accès vers l'Extrême-Orient. Il pouvait d'ailleurs se fier à l'exemple de Christophe Colomb, dont il semble apparemment que les connaissances en géographie étaient nettement inférieures aux siennes. Quoi qu'il en soit, la première tâche de Cabot était de chercher l'appui d'un roi qui l'autoriserait à réaliser son projet.

Jean Cabot alla donc en Angleterre où il présenta sa requête au roi Henri VII. Celui-ci approuva l'idée et patronna l'expédition. En dépit de cette autorisation, Cabot ne reçut aucune aide financière du roi et fut obligé d'entreprendre l'expédition à ses propres frais. Grâce au concours de quelques amis, il s'apprêta à partir. Henri VII lui donna la permission de découvrir des terres encore inconnues des royaumes chrétiens, à la condition expresse que ces terres seraient placées sous la souveraineté anglaise.

Le 2 mai 1497, Jean Cabot, son fils Sébastien, et un équipage de 18 hommes, s'embarquèrent à bord d'un petit voilier, le "Matthew". Après 52 jours de mer, le 24 juin, jour de la Saint-Jean-Baptiste, ils aperçurent la terre.

La région où ils accostèrent était formée d'une zone de terre ferme et d'une île. Il nomma la terre ferme "Prima Terra Vista" ou "Terre vue pour la première fois". Quant à l'île, il la baptisa "Saint-Jean", en hommage au saint du jour.

Ceci se passait un an avant que Christophe Colomb réussît à atteindre le continent sud-américain, au cours de son troisième voyage. Il est donc légitime d'écrire que Jean Cabot fut le premier à fouler le sol du continent américain.

Par suite du manque de vivres, Jean Cabot fut obligé de rebrousser chemin immédiatement. Lors de son voyage de retour, il découvrit l'île de Terre-Neuve. Le dimanche 6 août 1497, il débarquait, sain et sauf, à Bristol, port anglais.

China. A year later, in 1498, he headed a larger expedition — consisting of several boats — seeking passage to China and India. He navigated along the entire North American seaboard, but without success. John Cabot then returned to England, where he died shortly afterwards.

Cabot's voyages had far-reaching results. He was the first to put the entire region under the English flag. His description of fishing in the Straits of Newfoundland, where cod was so plentiful that it could be caught with bare hands, greatly interested European fishermen and within a short time the fishing trade became very active.

Several attempts were made to reach Canadian shores after Cabot's expeditions. In an article by Gustave Lanctot, the official Canadian archivist, which appeared in the Canadian Historical Review (September 1944), it is said that in the year 1506, one John Denis, and in the year 1508, one Thomas Aubert followed Cabot's route. However, these voyages brought no results.

In the meantime, a new European power began to take an interest in the New World. Jacques Cartier, a French sea captain, made his first trip to Canada in 1534 and succeeded in making his way inland.

It was Jacques Cartier who awakened the interest of France in the New World. With Jacques Cartier begins the history of French influence in Canada.

Le voyage de Jean Cabot fit une profonde impression en Angleterre, où l'on crut qu'il avait découvert une nouvelle route vers la Chine. Un an plus tard, en 1498, il partit à la tête d'une expédition plus importante à la recherche d'une voie d'accès vers la Chine et l'Inde. Il navigua le long des côtes de l'Amérique du Nord, mais sans succès. Il rentra alors en Angleterre où il mourut peu de temps après.

Les découvertes de Jean Cabot étaient lourdes de conséquences. Il avait, le premier, placé toute la région nouvelle sous la souveraineté anglaise. Sa description des Bancs de Terre-Neuve, où les morues sont si abondantes que l'on peut presque les prendre à la main, enthousiasma les pêcheurs européens. En très peu de temps, l'industrie de la pêche devint fort active.

Après la réussite de Cabot, d'autres hommes tentèrent à plusieurs reprises d'atteindre les côtes du Canada. Gustave Lanctôt, archiviste canadien officiel, rapporte dans un article de la "Revue Historique Canadienne" de septembre 1944, qu'en l'an 1506, un certain John Denis, et un peu plus tard, en 1508, un dénommé Thomas Aubert, suivirent la route prise par Jean Cabot. Mais tous deux échouèrent.

Entre-temps, une autre puissance européenne s'intéressa au Nouveau Monde. En l'an 1534, un capitaine de vaisseau français, Jacques Cartier, fit son premier voyage au Canada et réussit à pénétrer plus profondément à l'intérieur des terres.

Ce fut Jacques Cartier qui éveilla l'attention de la France au sujet du Nouveau Monde. Avec Jacques Cartier, commence l'histoire de l'influence française au Canada.

CANATA! CANATA!

IT was early summer of 1535. A quiet wind cooled the air. The St. Lawrence River, then unnamed, rolled and emptied its waters into the ocean as it does now and as it had been doing for thousands of years. Suddenly the tranquility was disturbed! Something new appeared on the surface of the mighty St. Lawrence, a sight its shores had never seen before. It startled both man and beast alike.

As if having sprung out of the water, three sailboats appeared on the river. These boats had sailed from France some months before. After a long and difficult journey across the Atlantic Ocean, they finally reached the newly discovered continent of America and were floating quietly over the waters of the great St. Lawrence.

Where the city of Quebec now stands, the shores of the St. Lawrence were then dotted with a few huts which formed the small Indian village of Stadacona. The appearance of the small flotilla was the most fantastic sight the Indians had ever seen. They gazed at the approaching sailboats unable to believe their own eyes. They had never seen a sailboat before. To them, the boats had the appearance of gigantic birds with mighty wings which were gliding speedily and noiselessly over the waters. But that was not all! Their bewilderment was increased when they saw upon these huge birds a number of white-skinned men. The initial amazement, however, was soon changed to wild enthusiasm. The Indians ran quickly to their tents where they put on their finest attire, adorned with plumage, and returned to the river bank to greet the arrival of the strange white people.

The natives greeted the newly arrived guests with friendly cordiality. They were led by their Chief Donacona who was garbed in his finest dress and decorated with trinkets and feathers. When the visitors disembarked, they were greeted by Donacona. The Chief waved his hand, pointed to the village and said in a language strange and unknown to the newcomers: Cantata! Cantata!

Donacona merely wanted to say "welcome" but the guests misinterpreted his words. They thought that Cantata, which to them sounded like Canata, was the name of the entire new country. To them Canata meant vast unexplored territories, numerous rivers, unknown mountains and forests of the New World. In time Canata was changed to Canada and the name has remained for all time.

There are a few other explanations as to how the name Canada might have originated. It is suggested that it may come from the Indian word Cantha, which means a group of huts; or from the Spanish word, Acanada, meaning there is nothing there; or from the Portuguese Canada, meaning a narrow passage, probably referring to either the St.

CANATA! CANATA!

C'ETAIT le début de l'été 1535. Un vent doux rafraîchissait l'atmosphère. Le fleuve Saint-Laurent, qui n'avait pas encore de nom en ce temps-là, coulait majestueusement et déversait, tout comme aujourd'hui, ses eaux dans l'océan. Soudain, la tranquillité et la paix de ce beau jour furent rompues. Quelque chose d'étrange bougea à la surface du grand fleuve, quelque chose que jamais, de mémoire d'homme, on n'avait aperçut au long de ces rives et dont la vue paralysa les hommes et les animaux.

Comme s'ils étaient soudain sortis des eaux, trois voiliers surgirent sur le fleuve. Ces navires avaient quitté la France quelques mois auparavant. Après une longue et rude traversée de l'Atlantique, ils avaient finalement atteint les côtes du continent américain, découvert récemment. Ils flottaient tranquillement sur les eaux du Saint-Laurent.

Sur le flanc des berges, là où se dresse aujourd'hui la ville de Québec, s'accotaient quelques huttes formant le petit village indien de Stadacona. L'apparition de la petite flotille fut, pour les Indiens, le spectacle le plus fantastique auquel ils eussent jamais assisté. Ils regardaient approcher lentement les voiliers et n'en croyaient pas leurs yeux. Pour eux, ces bateaux avaient l'aspect de gigantesques oiseaux aux ailes puissantes, glissant rapidement et sans bruit sur le fleuve. Mais ce n'était pas tout. L'étonnement fut à son comble lorsqu'ils virent que ces grands oiseaux abritaient des hommes à la peau blanche. Bien vite cependant, leur surprise se transforma en un enthousiasme délirant. Les Indiens coururent à leurs tentes pour revêtir leurs plus beaux atours et leur coiffure de plumes bariolées et retournèrent ensuite près du rivage pour souhaiter la bienvenue à ces étranges hommes blancs.

Les indigènes accueillirent leurs nouveaux hôtes avec cordialité. Le chef de la tribu, Donacona, paré de plumes aux couleurs chatoyantes et revêtu d'une robe aux ornements scintillants, s'approcha, suivi de sa tribu. Lorsque les hommes blancs accostèrent, Donacona les salua en agitant la main en direction du village et s'écria, dans une langue étrange, inconnue des nouveaux venus: "Cantata, Cantata!".

Donacona souhaitait tout simplement la bienvenue à ses hôtes, mais ceux-ci interprétèrent mal les mots de Donacona. Ils pensaient que "Cantata", qu'ils prononçaient "Canata", était le nom de ce nouveau pays. Pour eux, "Canata" signifiait de vastes territoires inexplorés, de nombreuses montagnes et rivières et d'innombrables forêts riches en gibier. Par l'une de ces erreurs de l'Histoire que rien ne peut changer, le nom "Canata", qui plus tard devint "Canada", resta celui de notre pays.

Il existe d'autres versions de l'origine du nom "Canada". Ce mot viendrait de l'indien "Cantha", qui signifie "groupe de huttes"; ou de l'espagnol "Acanada" qui se traduit par: "il n'y a rien là"; ou encore de l'expression portugaise "Canada" désignant un étroit passage. Ce dernier sens se référait probablement au fleuve Saint-Laurent que Cartier

Lawrence River which Cartier entered or to the narrowness of the river at Quebec where Jacques Cartier first landed.

These first white guests who came to the new country were French explorers. They and their leader, Captain Jacques Cartier, were the first Europeans who brought back to Europe a report on the new country. In the year 1535, Canada consisted of a small group of Indian tents. Today, the name Canada has a vastly different meaning for us.

Canada stretches from the Atlantic Ocean to the Pacific. It occupies more than half of the North American continent. Its area covers over three and one half million square miles of territory. It is larger than the United States of America and is almost as large as the whole of Europe. Although sparsely populated, most of the country is settled. To the south, Canada borders on the United States. The boundary between these two countries is the largest in the world. It covers over 3987 miles consisting of 1789 miles of land and 2198 miles of water. In addition, the boundary between Canada and Alaska, which belongs to the United States, stretches for 1500 miles. In the North, Canada fades into a huge terrain of ice and snow.

This is Canada of today. A vast land of unlimited natural resources. The country has undergone many changes since the day on which Cartier first landed on its soil. Its history is a story of growth and development. The panorama of the political, economic and social history of Canada is interwoven with thousands of threads of various hues and colours. Together, these represent the Canada of today, a land with a great and promising future.

dut suivre pour pénétrer à l'intérieur des terres, ou bien décrirait l'étroitesse de ce fleuve à Québec, lieu du premier débarquement de Jacques Cartier.

Les nouveaux venus étaient des explorateurs français. Il furent, avec Jacques Cartier, leur chef, les premiers européens à faire un rapport circonstancié sur le nouveau pays. En l'an 1535, le mot "Canada" n'évoquait qu'un petit nombre de tentes indiennes. Aujourd'hui, c'est un pays dont le nom a une signification entièrement différente.

Le Canada s'étend de l'océan Pacifique à l'océan Atlantique. Il occupe plus de la moitié du continent nord-américain. Son territoire couvre une superficie de plus de 3 millions et demi de milles carrés. C'est un pays plus vaste que les Etats-Unis d'Amérique et presque aussi grand que toute l'Europe. Bien que la population y soit éparse, la plus grande partie du sol est colonisée. Au sud, la frontière longeant les Etats-Unis est la plus longue du monde; elle s'étend sur plus de 3,987 milles, comprenant 1,789 milles de terre et 2,198 milles d'eau. De plus, la frontière entre le Canada et l'Alaska, qui appartient aux Etats-Unis, est d'une longueur de 1,500 milles. Au nord, le Canada se perd dans un immense territoire de neige et de glaciers. La côte orientale du Canada longe l'océan Atlantique, celle de l'ouest, l'océan Pacifique.

Voilà le Canada tel qu'il est de nos jours! Un immense pays aux richesses naturelles illimitées. De nombreux changements l'ont affecté depuis le jour où Jacques Cartier débarqua sur notre sol pour la première fois. L'histoire du Canada raconte la croissance et l'expansion d'une nation. Le panorama de notre histoire politique, économique et sociale est une trame faite de milliers de fils ténus et de teintes diverses, dont la réunion donne au Canada d'aujourd'hui le visage d'un pays prospère et plein d'avenir.

JACQUES CARTIER

JACQUES Cartier was a prominent citizen of St. Malo, a small port city in France. Little is known of his early youth. We do know, however, that by 1533 he was already celebrated as a skillful sea-captain and navigator.

Jacques Cartier lived during a period of great events in the history of Europe. New lands were constantly being discovered. Great wealth from the new countries was pouring into the European continent. Strong competition arose among the European kingdoms for these new lands and riches. Though Columbus had discovered America almost half a century earlier, that continent was still shrouded in mystery. Europeans continued to search for a sea passage to the fabulous lands of China and India, the powerful European kings continued to send expeditions in order to explore new territories in their search for gold and other precious goods such as tea, silks and spices.

Francis the First, the King of France was envious of the King of Spain, Charles the Fifth, who was becoming wealthier from day to day. Ships filled with gold and other precious wares from far-away America continued to enrich the coffers of Spain. King Francis the First determined to acquire some of this fortune and commissioned Jacques Cartier to explore the northern part of America and occupy it in the name of France.

There are some portraits of Jacques Cartier which have remained to this day. They show him wearing a fur cap and a fur jacket. While it is difficult to judge his age from these portraits, his features show determination and strength of character.

Jacques Cartier sailed from France on April 20th, 1534. His expedition consisted of two ships. In May 1534 he reached the coast of Northern Canada, now known as Labrador. At that time, the territory of Labrador was almost uninhabited, rocky, barren, with nothing but wilderness for miles around. Jacques Cartier remarked that this was the land that God had given to Cain.

Jacques Cartier changed the course of his ships and headed further South, where he saw new land, covered with fields, forests, and waters full of fish. He liked what he saw, stopped for a short while and even traded with the native Indians.

Meanwhile the summer passed quickly. Fearing to remain for the winter in this strange country, he decided to return home. Before leaving, he erected a thirty-foot cross on which he inscribed that the land belonged to the King of France. He took with him two Indians in order to prove to his king that he had discovered a New Land. He also wanted to train them as interpreters so that on his next trip to Canada he would have less difficulty in his contact with the natives. It is not quite

JACQUES CARTIER

JACQUES Cartier était un notable de Saint-Malo, un petit port français. On possède très peu de renseignements sur sa prime jeunesse, mais il est connu que, en 1533, il avait déjà la réputation d'être un capitaine et un navigateur de grande classe.

A cette époque, l'Europe était en proie à de grands remous. Elle amassait les richesses rapportées des pays qu'elle venait de découvrir au delà des mers. Un vif sentiment de rivalité surgit entre les différents royaumes de l'Europe, tous désireux d'acquérir ces nouvelles contrées et leurs trésors. Bien que Christophe Colomb eût découvert l'Amérique près d'un demi-siècle auparavant, ce continent était encore très peu connu. Les européens persistaient à chercher une route maritime vers l'Orient, vers la Chine et l'Inde fabuleuses. De puissants monarques ne cessaient d'envoyer des expéditions chargées de fouiller les nouvelles colonies à la recherche de l'or et d'autres produits rares, tels que le thé, la soie et les épices.

Le roi de France, François 1er, jalousait Charles-Quint, roi d'Espagne, qui devenait plus riche de jour en jour. Des bateaux chargés d'or et d'autres produits rares arrivaient continuellement de la lointaine Amérique, enrichissant le trésor royal d'Espagne. François 1er décida d'accaparer une partie de ces richesses. Il confia à Jacques Cartier la mission de partir explorer le nord de l'Amérique et d'en prendre possession au nom de la France.

Certains portraits d'époque de Jacques Cartier subsistent encore. On l'y voit généralement vêtu d'une veste et d'un bonnet de fourrure. Son âge est incertain, mais on s'accorde à penser qu'il avait un peu plus de quarante ans. Les traits de son visage révèlent détermination et force de caractère.

Jacques Cartier quitta la France le 20 avril 1534, à la tête d'une expédition comprenant deux bateaux. En mai 1534, il atteignit la côte nord du Canada, le Labrador actuel. C'était alors une région presque inhabitée, aride et rocheuse. Jacques Cartier nota que "cette terre était celle que Dieu donna à Caïn", voulant dire par là que c'était un pays stérile et sauvage.

Jacques Cartier changea de direction et ses voiliers mirent le cap vers le sud. Cette fois, il découvrit des terres couvertes de forêts et de champs verdoyants, de rivières et de lacs poissonneux. Cette terre fertile le fascina, il s'y arrêta pour un court séjour et profita de cette escale pour faire du commerce avec les Indiens.

Mais le temps passait et l'été touchait à sa fin. Craignant de passer l'hiver dans un pays inconnu, Cartier décida de prendre le chemin du retour. Avant son départ, il érigea une grande croix, haute de 30 pieds, sur laquelle il grava une inscription déclarant que cette terre appartenait au roi de France. Il emmena deux Indiens pour prouver au roi qu'il avait effectivement découvert un nouveau territoire. Il désirait égale-

clear whether Cartier kidnapped the Indians, or whether they went with him of their own free will. According to one version, they were the sons of an Indian chief who had permitted Cartier to take them back to France.

Cartier returned to St. Malo on Sept. 5th, 1534. In his explorations of Canada's shores, he had discovered the mighty St. Lawrence River. The patron saint of the day when he reached its mighty shores was St. Lawrence, and the river was named after him. Cartier did not return from his voyage with a cargo of gold and silver but his stories about the new land stirred the whole of France, and it was decided to send a new expedition in the following year.

In the spring of 1535 Cartier again set sail for Canada. This time he immediately proceeded to the Gulf of the St. Lawrence and sailed up the river to the Indian village of Stadacona, where the City of Quebec now stands. From the Indians, Cartier learned of another Indian settlement called Hochelaga which was further up the river. With his smallest ship and a crew of 15 men, he decided to visit this settlement. On October 2nd, 1535, Cartier arrived in Hochelaga, now known as Montreal.

The village of Hochelaga, which later became Montreal, lay at the foot of a majestic mountain on the site now occupied by McGill University. The surrounding countryside was beautiful. The Indian settlement consisted of about fifty long and squat huts, surrounded by a wooden fence. The fields around the settlement where Indian corn grew in abundance, were well cultivated. Cartier was welcomed by the inhabitants. He climbed up the mountain. The panorama from the top was magnificent. The trees were in their autumn glory and the surrounding beauty captivated him. He named the mountain Mount Royal, in honour of his king. The name has remained to this day.

Cartier made one new discovery during this visit. He noticed that the Indians were smoking long pipes. Never having seen people smoke before, he thought that the natives filled their lungs with smoke until it came out of their mouths and nostrils, as if from a chimney. In his description Cartier relates that the Indians had told him that the smoke kept them warm and healthy. The French also tried smoking the pipes, but found the taste of tobacco unpleasant and bitter.

Jacques Cartier spent the winter at Stadacona. The expedition had a very difficult time. The French were not accustomed to the cold of the Canadian winter. The dreaded disease, scurvy, broke out among them and many died but a large number of them were saved by the Indians who came to the rescue with a medicinal drink, made from the bark of the spruce tree. With the arrival of the spring, 1536, Cartier returned to France.

ment leur apprendre à servir d'interprètes, afin de faciliter ses contacts avec les indigènes lors de son prochain voyage. On ne sait pas au juste si Cartier fit main basse sur ces deux Indiens, ou si, au contraire, ils l'accompagnèrent de leur propre gré. Selon certains récits, il les força à le suivre. Selon d'autres, ils étaient les fils d'un chef de tribu qui aurait donné la permission à Jacques Cartier de les emmener en France.

Cartier rentra à Saint-Malo le 5 septembre 1534. Au cours de ses explorations, il avait découvert le majestueux fleuve Saint-Laurent, qu'il nomma ainsi en l'honneur du saint patron du jour où il fit sa découverte. Jacques Cartier ne revint chargé ni d'or ni de trésors, mais le compte-rendu qu'il fit de son voyage suscita un vif intérêt par toute la France et il fut décidé qu'une autre expédition partirait l'année suivante.

Au printemps de l'année 1535, Cartier mit de nouveau le cap vers le Canada, mais, cette fois, il se dirigea directement vers le golfe du Saint-Laurent, remontant le cours du fleuve jusqu'au village indien de Stadacona, qui était situé à l'endroit où la ville de Québec fut bâtie plus tard. Les Indiens lui apprirent l'existence d'un autre camp indien, appelé Hochelaga et situé plus en amont sur le fleuve. A bord du plus petit de ses bateaux et accompagné d'un équipage de 15 hommes, Cartier décida de visiter ce camp, où il arriva le 2 octobre 1535.

Le village de Hochelaga, qui devint plus tard la ville de Montréal, était situé au pied d'une belle montagne, sur le versant où se trouve maintenant l'université McGill. Ce village indien était formé d'une cinquantaine de cabanes, basses et allongées, entourées d'une enceinte de bois. Les vastes champs des alentours étaient cultivés par les indigènes qui y semaient du maïs indien. Cartier fut bien reçu par les habitants. Il fit l'ascension de la montagne, d'où il put admirer le magnifique panorama s'étendant à perte de vue. C'était la période de l'année où les feuillages revêtent leurs chaudes couleurs automnales et Cartier fut captivé par la beauté du paysage. Faisant honneur à son roi, il nomma cette montagne le "Mont-Royal", nom qu'on lui donne encore aujourd'hui. La ville reçut le nom de Montréal.

Lors de cette visite, Cartier fit une autre découverte. Il remarqua que les Indiens fumaient de longues pipes et, comme il n'avait jamais vu quelqu'un fumer, il s'imaginait que les Indigènes se remplissaient les poumons de fumée jusqu'au moment où elle leur sortait par la bouche et les narines, comme d'une cheminée. L'une de ses histoires mentionne que les Indiens lui avaient dit que la fumée de leurs pipes les gardait au chaud et en bonne santé. Les Français essayèrent de fumer, mais ils trouvèrent que le goût du tabac était amer et déplaisant.

Jacques Cartier et ses compagnons passèrent l'hiver à Stadacona, ce qui fut très pénible, car ils n'étaient pas habitués aux rigueurs des hivers canadiens. Une maladie redoutée, le scorbut, fit son apparition et décima un grand nombre des membres de l'expédition. Quelques-uns furent sauvés grâce aux Indiens qui leur firent boire une boisson médicinale faite d'écorce d'épinettes. Au début du printemps 1536, Jacques Cartier retourna en France.

He had stayed away from Canada for five years and visited the country again in 1541. The part of Canada which Cartier discovered and took possession of for his king was named New France.

Il ne devait revenir au Canada que 5 ans plus tard, en 1541. La région du Canada découverte par Jacques Cartier et dont il avait pris possession au nom du roi de France, fut surnommée la Nouvelle-France.

"THE ISLAND OF DEVILS" AND "SABLE ISLAND" —

"THE ISLAND OF DEVILS"

OFF the north-east coast of Newfoundland lies a small island once known as "The Island of Devils," and now called "Fichot." There is a legend as well as a true story, dating back to the early times of French settlement in Canada, about this island.

In 1542, several years after Jacques Cartier's first voyage to Canada, the Government of France commissioned the nobleman, Francois de la Rocque, Sieur de Roberval, to carry out an expedition to the new land with the purpose of founding a colony. Roberval actually was the first to be given a colonization charter for Canada by the French Government.

Roberval set sail with three ships, carrying two hundred colonists. Historical evidence shows that Roberval was sincere in his desire to found a colony. His efforts, however, proved to be in vain.

Many of the colonists were former prisoners. There were outbreaks of violence and constant fighting among these people and Roberval found it difficult to control them. He reigned with an iron hand and more than one colonist was punished for disobedience.

The following tragic episode occurred on this expedition.

There were a number of women and children who travelled with the colonists, among them, Roberval's niece, Marguerite. During the journey Marguerite fell in love with a young man. Roberval was highly displeased with her suitor and forbade the young lovers to see each other. He was not obeyed, however, and in a rage vowed to punish his niece whom he put ashore on the "Island of Devils," along with an old servant-woman. He gave them several guns, some ammunition, and left them in the wilds of the island. When Marguerite's young lover saw what had happened he leapt overboard and swam to the island's shore, where he remained with his bride.

The fate of the young lovers was a very sad one. The island had received its name because sailors could hear wild cries and unnatural wailing arising from its interior. They imagined that devils dwelt on the island, and feared to set foot on it. On the old maps of Canada, the island is drawn with figures of little devils with horns and tails surrounding it.

Marguerite's young lover soon became very ill and died. The old servant did not last very long either and young Marguerite was left all alone. Day and night, she kept a fire going, hoping to attract the attention of a passing ship. She spent twenty-nine fearful months on this lonely island. One day, the sailors of a small ship noticed smoke as they

"L'ILE DU DIABLE" ET "L'ILE AUX SABLES"

L'ILE DU DIABLE

PRES de la côte nord-est de Terre-Neuve se trouve une petite île, jadis appelée "l'Ile du Diable" et connue à présent sous le nom de "Pichot". Cette île fut le site d'une légende et d'une histoire vécue qui se déroulèrent au début du régime français au Canada.

En 1542, plusieurs années après le premier voyage de Jacques Cartier au Canada, le gouvernement français nomma un gentilhomme, François de la Rocque, Sieur de Roberval, chef d'une expédition en partance vers le Nouveau Monde, et lui donna comme mission d'y fonder une colonie. Roberval fut le premier à recevoir un mandat du gouvernement français aux fins de coloniser le Canada.

Roberval fit voile avec trois bateaux qui emmenaient deux cents futurs colons. L'histoire le prouve, son désir de fonder une colonie était sincère. Malheureusement, ses efforts furent vains.

Plusieurs colons étaient d'anciens forçats. Des actes de violence et d'incessantes querelles les divisèrent, aussi Roberval eut-il bien du mal à les contenir. Il sévit avec une main de fer et plus d'un colon fut puni pour indiscipline.

Au cours de cette expédition, survint un tragique événement.

Un certain nombre de femmes et d'enfants accompagnaient les colons et, parmi eux, se trouvait la propre nièce de Roberval, Marguerite. Pendant le voyage, Marguerite s'éprit d'un jeune homme; le prétendant déplut fort à Roberval qui décida de séparer les jeunes amoureux. Il leur défendit de se revoir. Comme ceux-ci n'obéissaient pas, Roberval, pris d'une rage folle, jura qu'il punirait sa nièce. A l'Ile du Diable, il la fit descendre à terre accompagnée d'une vieille servante; il leur donna quelques fusils et des munitions, puis, les abandonna à leur destinée. Lorsque l'amoureux vit ce qui se passait, il sauta par dessus bord et nagea jusqu'à l'île où il demeura avec sa fiancée.

Hélas, le jeune couple était voué au malheur. L'île sur laquelle ils se trouvaient avait été surnommée "L'Ile du Diable" par des marins qui avaient entendu des cris sauvages et des bruits insolites en provenance de cette région. Ils s'étaient imaginés que des diables vivaient dans l'île, aussi craignaient-ils d'y débarquer. Sur les anciennes cartes géographiques du Canada, on voit cette île entourée de petits diables pourvus de queues et de cornes.

Le jeune fiancé de Marguerite tomba bientôt malade et mourut. La vieille servante ne lui survécut pas longtemps et Marguerite se retrouva seule au monde. Jour et nuit, dans l'espoir d'attirer l'attention de quelque navire passant au large, elle gardait un feu allumé. Elle subit une longue et pénible attente qui dura vingt-neuf mois. Un jour, l'équipage d'un petit bateau aperçut la fumée. Les marins intrigués se demandaient: "Qu'est-ce que les diables peuvent bien manigancer?" Ils eurent quand même le courage de débarquer dans l'île. Quelle ne fut pas leur stupéfaction d'y trouver une jeune femme de race blanche! Ils prirent Margue-

were passing the island. Their curiosity was aroused. "What could the devils be cooking?" On coming ashore, they were astonished to find a young woman. They took Marguerite aboard and she returned with them to France, where her tragic story became known.

"SABLE ISLAND"

To the south of Newfoundland, about one hundred miles east of Nova Scotia, lies Sable Island. This island was once known as "the Cemetery of Sailors," for many ships had been wrecked on its treacherous shores.

In the year 1528, Baron de Lery, a French nobleman, decided to settle on the island. His voyage took so long, however, that he was forced to turn back for more food and provisions. Since he did not have enough feed for the few cows and pigs that he had brought along, he left them on the island and set sail for France, but he never returned.

In the year 1598, seventy years later, the Marquis de Laroche obtained from the the French king that same charter to colonize Canada, which had been given fifty years earlier to Sieur de Roberval. Marquis de Laroche set sail in a small ship, loaded with ex-convicts; no others expressed a desire to sail away to the distant land. By a curious coincidence, de Laroche chose "Sable Island" as the site for his new colony.

Marquis de Laroche left forty men on the island, and sailed on with the rest, seeking suitable colony sites. Because of a storm which carried his ship off course, de Laroche decided to return to France. This proved to be the end of his colonizing adventures in the New World.

The forty settlers who remained on Sable Island were cut off from the world. Without tools, provisions, and clothing, they degenerated into a barbaric state. Through disease and fighting amongst themselves, many died or were murdered. When another ship landed at Sable Island five years later, only eleven of the forty original settlers were found to be still alive.

They were taken aboard and returned to France. When the French King Henry IV, heard the story he asked that the eleven survivors be brought before him. It is related in chronicles of that time that the men, bearded and unkempt, appeared before the King, wearing animal pelts and looking very much like barbarians out of ancient times.

Thus, as is seen in the stories of the two islands, legend and reality, adventure and heroism, are often found side by side in the early pages of Canadian History.

rite à bord et la ramenèrent en France où se répandit rapidement le récit de cette tragique histoire.

L'ILE AUX SABLES

Au sud de Terre-Neuve, à environ une centaine de milles à l'est de la Nouvelle-Ecosse, se trouve l'Ile aux Sables. On l'appelait jadis "le cimetière des marins", car de nombreux navires faisaient naufrage sur ses rives escarpées.

En l'an 1528, le baron de Léry, un gentilhomme français, décida de s'y établir. Mais son voyage dura si longtemps qu'il fut forcé de rebrousser chemin en raison du manque de vivres. N'ayant pas suffisamment de nourriture pour le bétail qu'il avait emporté, il laissa les vaches et les porcs sur l'île et se remit en route pour la France. Ce fut son premier voyage vers l'île. Ce fut aussi le dernier: il n'y revint jamais.

En 1598, soit soixante-dix ans plus tard, le marquis de Laroche obtint du roi de France la même charte de colonisation que le Sieur de Roberval avait reçue autrefois. Il s'embarqua à bord d'un petit voilier dont la cargaison était composée d'anciens forçats, seuls à vouloir s'exiler aussi loin. Le hasard voulut que parmi tous les points du continent nord-américain, Laroche choisit l'Ile aux Sables pour y établir une colonie.

Le marquis de Laroche débarqua quarante de ses hommes sur l'île. Il repartit avec le reste du contingent à la recherche d'un autre endroit propice à la colonisation. Après quelques jours de mer, une forte tempête s'éleva qui fit dériver le bateau, et Laroche estima préférable de rentrer en France. Ce fut la fin de ses tentatives de colonisation au Nouveau Monde.

Les quarante colons demeurés dans l'île furent complètement isolés du monde. Sans vivres, sans outils, sans vêtements de rechange, ils sombrèrent bientôt dans un état de barbarie. La maladie et de nombreuses bagarres firent de grands ravages parmi leurs rangs. Quand, cinq ans plus tard, un navire de passage accosta à l'Ile aux Sables, les quarante colons de Laroche n'étaient plus que onze.

Ils furent emmenés à bord et retournèrent en France. Quand le roi de France, Henri IV, apprit le traitement qu'avaient subi ces hommes, il demanda à voir les onze survivants. Les écrits de l'époque rapportent que, lorsque ces rescapés furent amenés devant le roi, ils portaient de longues chevelures, des barbes épaisses et étaient vêtus de peaux de bêtes. Ils avaient réellement l'aspect d'hommes sauvages.

La légende et la réalité, l'aventure et l'héroïsme, vont souvent de pair au cours des premiers chapitres de l'histoire du Canada: le récit de ces deux épisodes tragiques en fait foi.

THE FIRST IMMIGRANTS TO AMERICA — THE INDIANS

WHEN the white men reached the shores of Canada, they found there the "red men" — the Indians. It is through an historical paradox that the name "Indians" has been given to the red men. But such is the nature of name-giving, a name once given, clings in spite of its inaccuracy, and it is almost impossible to change it.

When the Europeans set out to find new lands they had not in their wildest dreams imagined that they would discover a new continent. Columbus did not set out to discover America but to find the sea-route to India and China, the lands of fabulous wealth. Thinking that the world was round (though in his time men were not certain of that fact), he hoped to reach India by sailing westward.

Columbus' guess was not a bad one, but there was one thing he could not foresee. He did not think that on the way to India there existed a continent. Moreover, when he arrived at the shores of what is now America he thought that he had found India, and so naturally took the inhabitants to be Indians. The name given in error, remains to this day.

Who are the Indians? How did they come to America? The origin and history of the American Indians are not very clear, although there are some general theories on the subject.

It is believed, for example, that the Indians came to America from Asia; America is certainly not their native land. Some authorities hold that the Indians started their wandering into America about fifty thousand years ago. Others believe that the influx began twenty thousand years ago. Howsoever this may be, both groups agree that the Indians are, so to speak, immigrants and that even they migrated to America; true, without visas, and without immigration quotas.

How did the Indians come across the mighty ocean? The accepted theory is that they had crossed the Bering Straits. The Bering Straits, a narrow body of water dividing Asia from America are on the north-east coast of Asia, fifty miles in width. During the winter it is possible to cross the Straits on a sled because they are frozen over. There is another theory that twenty thousand years ago the Bering Straits did not yet exist, and that the American and Asian continents were joined together by dry land. It is thought that because of this, the Indians were able to migrate to America from Asia.

Some Indian tribes in America reached a very high level of civilization. On the other hand, there were also many backward tribes. The total Indian population of North America was rather small. Out of a population of about a million and a half, two hundred and fifty thousand lived in Canada. Of the fifty-nine Indian tribes which populated North America, about nine were in Canada.

LES PREMIERS IMMIGRANTS EN AMERIQUE: LES INDIENS

LORSQUE les hommes blancs d'Europe atteignirent les côtes du Canada, ils y trouvèrent des Peaux-Rouges", les Indiens. L'appellation "Indiens" donnée aux Peaux-Rouges est le résultat d'un paradoxe historique; mais la coutume est conforme à la nature du langage. Le nom, une fois donné à l'objet, finit par s'identifier à cet objet; il devient presque impossible de le remettre en cause.

Quand les Européens décidèrent de se lancer sur la voie de l'exploration, ils ne s'imaginaient pas un seul instant, même dans leurs rêves les plus fantasques, qu'ils découvriraient tout un nouveau continent.

Christophe Colomb ne s'embarqua pas à la découverte de l'Amérique, mais bien à la recherche d'une route maritime vers la Chine et l'Inde, pays aux richesses fabuleuses. Il croyait que la terre était ronde (bien qu'à cette époque la majorité des hommes n'en étaient pas certains), et il espérait atteindre l'Inde en naviguant en direction de l'ouest.

Il n'était pas bien loin de la vérité, mais il y a une chose qu'il ne pouvait prévoir. Il ne pensait pas qu'un nouveau continent barrait la route de l'Inde. Aussi, lorsqu'il arriva en vue des côtes de ce qu'on appelle aujourd'hui l'Amérique, il pensa que c'était l'Inde et, tout naturellement, nomma "Indiens" les habitants de ce pays. Ce nom, donné par erreur, leur est resté jusqu'à nos jours.

Qui sont les Indiens? D'où viennent-ils? L'origine et l'histoire des Amérindiens sont assez obscures, malgré l'existence de certaines théories sur le sujet.

On pense, par exemple, que les Indiens sont originaires de l'Asie. L'Amérique n'est certainement pas leur pays d'origine. Certains auteurs soutiennent que le mouvement migratoire des Indiens vers l'Amérique commença il y a environ cinquante mille ans. D'autres estiment que les débuts de leur migration ne remontent qu'à vingt mille ans. Quoi qu'il en soit, tout le monde se range à l'avis que les Indiens sont en quelque sorte des immigrants venus s'établir en Amérique, évidemment sans visa et sans devoir se soucier des quotas de l'immigration....

Comment les Indiens traversèrent-ils l'immense océan? La théorie généralement admise veut qu'ils passèrent par le détroit de Behring. Ce détroit, un bras de mer qui sépare l'Asie de l'Amérique, est situé au nord-est de l'Asie et mesure environ 50 milles de largeur. En hiver, le détroit est gelé; il est alors possible de le traverser en traîneau. Selon une autre version, le détroit de Behring n'existait pas encore il y a quelque 20,000 ans, époque à laquelle la terre ferme reliait l'une à l'autre croit-on, l'Amérique et l'Asie. On estime que c'est de cette manière que les Indiens émigrèrent d'Asie en Amérique.

Certaines peuplades indiennes atteignirent un très haut degré de civilisation. Mais beaucoup d'autres demeurèrent primitives. La population indienne en Amérique du Nord était peu nombreuse. Sur un total d'environ un million et demi d'Indiens, 250,000 habitaient le Canada.

Naming the Indians "red skins" was also accidental. For their skins are not really red, but of a copper colour. When the first Europeans came to America they observed that the Indians loved to paint themselves red which is why they were called "red-skins ."

Because of their active outdoor life, the Indians were well-built, muscular, and healthy. Their social organization was of a primitive form. They were divided into tribes, and every tribe was autonomous. Community life was carried on in democratic fashion. All adult men and women took part in general assemblies which decided on the activities and politics of the tribe.

The Indians lived mainly by hunting and fishing. Some tribes, especially those living in warmer climates, cultivated the soil and grew a variety of vegetables and grain such as corn, potatoes, wild rye, etc.

It is interesting to note that before the coming of the white man the Indians had no knowledge of wheeled wagons or of horses. In their travels they carried their packs on their shoulders, or, when possible, on canoes. They settled mostly on the banks of rivers and streams, and lived in tents or primitive wooden huts.

The Indians believed in "spirits". There were "good spirits", and "evil spirits". Their high priest who contacted the spirits was their doctor, or "medicine-man". If one of them became ill, it meant that the "evil spirits" had gotten into him, and the way to cure him was to drive the "evil spirits" away.

The arrival of the white man brought chaos into the Indians' life. Many were killed in the numerous wars with the white man. Many perished from tuberculosis and other diseases. Many also died from the effects of "fire-water", which the Europeans had brought with them.

Today, there are about one hundred and ninety thousand Indians in Canada. They are administered by the Indian Affairs Branch in accordance with the Indian Act. The Branch manages Indian reserves, trust funds, welfare projects, relief, family allowances, education, rehabilitation, enfranchisement, etc.

Des cinquante-neuf peuplades composant l'ensemble de la population nord-américaine, seulement neuf étaient établies au Canada.

La fameuse appellation "Peaux-Rouges" fut, tout comme l'autre, accidentelle ; car les Indiens n'ont pas la peau rouge, mais ont plutôt un teint cuivré. Lorsque les premiers Européens arrivèrent en Amérique, ils remarquèrent que les Indiens aimaient à se barioler de teintures rouges et c'est pourquoi le nom de Peaux-Rouges leur fut donné.

Menant une vie de plein air, saine et active, les Indiens étaient bien bâtis, résistants et jouissaient d'une bonne santé. Leur vie et leur organisation sociale étaient primitives. Ils étaient répartis en tribus, dont chacune était entièrement autonome et leur existence communautaire était organisée de façon démocratique. Tous les adultes, hommes et femmes, prenaient part aux assemblées générales où ils décidaient du choix de la politique à suivre et du plan des activités futures de la tribu.

Les Indiens vivaient presque uniquement des produits de la chasse et de la pêche. Certaines peuplades, notamment celles qui vivaient sous des latitudes plus clémentes, cultivaient la terre et produisaient du maïs, des pommes de terre, du seigle sauvage, etc.

Il est très intéressant de noter qu'avant l'arrivée des Blancs, les Indiens ne connaissaient pas les chariots sur roues ni les attelages de chevaux. Lorsqu'ils se déplaçaient, ils transportaient les chargements à dos d'hommes ou quand c'était possible, ils les entassaient dans des canots. Ils s'établissaient habituellement le long d'une rivière ou d'un ruisseau et ils logeaient sous la tente ou habitaient des cabanes de bois très primitives.

Les Indiens croyaient aux "esprits". Il y avait de bons et de mauvais esprits avec lesquels leur grand-prêtre, qui était leur "shaman" ou guérisseur, communiquait. Lorsque l'un des membres de la tribu tombait malade, cela signifiait que les mauvais esprits s'étaient emparés de lui. Il fallait alors les en chasser : tel était l'objectif assigné aux méthodes de guérison.

L'arrivée des Blancs bouleversa totalement le mode de vie des Indiens. Beaucoup furent massacrés au cours d'innombrables guerres contre les nouveaux envahisseurs ou moururent des suites de la tuberculose et de diverses maladies. Beaucoup périrent de l'accoutumance à ce qu'ils appelaient "l'eau de feu" (eau de vie) que les européens avaient apportée avec eux.

Aujourd'hui, environ 190,000 Indiens vivent au Canada. Leurs affaires sont administrées par le Service des Affaires Indiennes, du Ministère de la Citoyenneté et de l'Immigration, conformément à la loi sur les Indiens. Ce service s'occupe de la régie des réserves indiennes, des biens sous tutelle, des projets de bien-être et d'assistance, de l'enseignement, des allocations familiales, des pensions, de la réhabilitation et de l'affranchissement, etc.

NEWFOUNDLAND — THE FIRST BRITISH COLONY IN NORTH AMERICA

IN March, 1949, Canada was enriched by the addition of a new province — Newfoundland. This new province has indeed a very great historical attachment to Canada, for it was there that the first attempt was made to found an English colony in North America.

In 1578 the English nobleman, Sir Humphrey Gilbert, received a charter from the British Queen to colonize and settle the lands, discovered in the name of Great Britain by Captain John Cabot on his voyages to North America.

Sir Humphrey Gilbert was not a mere adventurer in search of new lands but was sincerely interested in colonization because he knew that only through the establishment of colonies would England be able to maintain sovereignty over her newly acquired territories.

Sir Humphrey Gilbert's project of colonization was based on a well-thought-out plan. He felt that the colonists should be drawn from the criminal elements of England. Instead of being punished these law-breakers would be sent to the new lands. A two-fold aim would be achieved. England would be freed of an undesirable element, which would be put to use in colonizing her overseas possessions.

Sir Humphrey Gilbert was not a wealthy man. It was with much difficulty that he raised the necessary capital to finance the expedition. Having spent his entire personal fortune and having borrowed from others, he finally set sail with five ships on the 11th of June, 1583.

He had chosen the island of Newfoundland as the site for the first colony. However, the expedition was ill-fated. They were only two days at sea when an epidemic broke out on the largest ship. The ship turned back to England. Some historians say that the epidemic was only an excuse and that the ship sailed home because the crew was afraid to proceed into unknown places.

As the expedition neared Newfoundland, Sir Humphrey lost another ship. The crew, consisting mainly of criminal types, decided to take up their old vocation and became pirates.

Nevertheless, Sir Humphrey reached his goal with the remaining three ships. Newfoundland was sighted on the 30th of July. He went ashore in St. John's Harbour on the 3rd of August. Two days later he laid claim to the surrounding country in the name of England in an official ceremony that took place on the 5th of August, 1583.

Leaving some of his men in the newly founded colony, Sir Humphrey Gilbert set sail to establish another colony on the mainland. A storm broke out on the way, and the largest of his remaining ships went under with about a hundred men. He decided to return home. Only the two smallest ships now remained.

TERRE-NEUVE, PREMIERE COLONIE BRITANNIQUE EN AMERIQUE DU NORD

AU MOIS de mars 1949, le Canada s'enrichissait d'une nouvelle province: Terre-Neuve. Cette province a des attaches historiques très étroites avec le Canada. C'est là en effet que furent entreprises les premières tentatives de colonisation anglaise en Amérique du Nord.

En 1578, un gentilhomme anglais, Sir Humphrey Gilbert, reçut des mains de la reine de Grande-Bretagne une charte octroyant le privilège de coloniser et de peupler les contrées que le capitaine Jean Cabot avait découvertes au nom de la Grande-Bretagne.

Sir Humphrey Gilbert n'était pas un simple aventurier cherchant de nouvelles terres. Il était sincèrement intéressé à la colonisation des régions nouvellement acquises, sachant que c'était là le seul moyen pour l'Angleterre de maintenir sa souveraineté sur les territoires qu'elle avait découverts.

Les projets de colonisation de Sir Humphrey Gilbert s'appuyaient sur un plan bien mûri. Gilbert était d'avis qu'il fallait recruter les futurs colons parmi les éléments criminels de la population anglaise. Au lieu d'expier leurs crimes, les hors-la-loi seraient expédiés dans les contrées nouvelles. Ce plan avait l'avantage de faire d'une pierre deux coups; il débarrasserait l'Angleterre d'éléments indésirables et en même temps permettrait de peupler ses colonies lointaines.

Sir Gilbert n'était pas riche et ce n'est pas sans peine qu'il parvint à amasser le capital nécessaire au financement d'une expédition. Finalement, après avoir réuni tout son avoir et emprunté de l'argent de différentes personnes, il mit les voiles le 11 juin 1583, à la tête d'une expédition de cinq bateaux.

Il avait choisi l'Ile de Terre-Neuve comme lieu d'établissement d'une première colonie. Mais le mauvais sort s'acharna sur son expédition. Deux jours à peine après le départ, une épidémie se déclara à bord du plus grand des bateaux, et l'on fut obligé de rebrousser chemin. Certains historiens affirment que cette épidémie n'était qu'une excuse ourdie par les membres de l'équipage qui craignaient de s'aventurer vers l'inconnu.

Non loin de Terre-Neuve, Sir Gilbert perdit un autre bateau. Les hommes de l'équipage, forbans pour la plupart, décidèrent de reprendre leur ancien métier: ils devinrent pirates.

En dépit de tout, Sir Gilbert atteignit sa destination avec les trois seuls bateaux qui lui restaient. Le 30 juillet 1583, l'Ile de Terre-Neuve se dessina à l'horizon, et, le 3 août, tous débarquèrent dans le port de Saint-Jean. Deux jours plus tard, le 5 août 1583, au cours d'une cérémonie officielle, Sir Gilbert prit possession de l'île au nom de l'Angleterre.

Laissant quelques-uns de ses hommes dans la nouvelle colonie, il continua sa route en vue de fonder une autre colonie, cette fois sur le continent. Bientôt, une forte tempête s'éleva et le plus grand des trois

The storm, however, did not abate and the heavy seas threatened to overwhelm Sir Humphrey's ship, which was the smaller of the two. The little ship, heavily loaded with ammunition and cannon, was in great danger. The crew pleaded with him that he transfer to the larger ship but he refused. The little ship disappeared on the 10th of September. Thus perished the founder of the first English colony in North America.

At the same time that Sir Humphrey Gilbert founded the colony in Newfoundland, two other English explorers gained fame for their attempts to discover the sea-route to Asia. They were Martin Frobisher and John Davis. Frobisher did not find the North West passage on his expedition, but brought back with him a gold-bearing rock. This caused excitement in England, and two more expeditions in search of the sea-route were undertaken in the years that followed.

Martin Frobisher's work was carried on by Captain John Davis. In June 1583 he set sail on the first of his three expeditions to the New World. Each journey supplied England with additional information about the new land.

Another Englishman who did much to further the development of British sea-power and knowledge of the high seas was Captain Francis Drake who, in 1578 made the first trip around the world.

Captain Drake sailed through the Straits of Magellan in South America, across the Pacific Ocean, and arrived home through western seas. Attacking Spanish ships on the west coast of South America, he plundered them and brought the valuable spoils home with him.

In 1588 Drake, Frobisher and Davis, together with other well-travelled English "sea-dogs," fought and destroyed the world famous Spanish Armada, freeing the way for the growth of British sea-power.

Thus it was, that sailor, soldier, colonist, and adventurer, paved the way to the subsequent greatness of the British Empire.

bateaux restants sombra, entraînant dans la mort une centaine d'hommes. Sir Gilbert décida de rentrer dans son pays. Seuls, deux petits bateaux lui restaient.

Cependant, la tempête ne leur laissait pas de répit et menaçait le propre bateau de Sir Gilbert. Ce bateau, le plus petit des deux qui formaient maintenant toute l'expédition, était lourdement chargé de canons et de munitions. L'équipage supplia Sir Gilbert d'aller sur le plus grand bateau, mais il refusa. Finalement battu, le petit bateau et tout son équipage disparut le 10 septembre 1583, et c'est ainsi que périt le fondateur de la première colonie anglaise en Amérique du Nord.

A l'époque où Sir Gilbert fondait une colonie sur l'Ile de Terre-Neuve, deux autres explorateurs anglais: Martin Frobisher et John Davis, furent renommés par leurs tentatives en vue de découvrir une route maritime vers l'Asie. Frobisher ne trouva pas la route nord-ouest, mais il rapporta un morceau de rocher contenant de l'or. Cette découverte fit sensation en Angleterre et deux autres expéditions à la recherche d'une voie maritime furent entreprises au cours des deux années qui suivirent.

Les recherches effectuées par Martin Frobisher furent reprises par le capitaine John Davis, qui effectua la première de ses trois expéditions au Nouveau Monde, en juin 1583. Au retour de chaque traversée, il rapportait de précieux renseignements sur les pays nouveaux, ajoutant ainsi aux informations déjà recueillies par l'Angleterre lors de précédentes expéditions.

Un autre anglais, le capitaine Francis Drake, est l'un de ceux qui contribuèrent au développement de la puissance maritime britannique; il fut aussi le premier à faire le tour du monde en 1578.

Le capitaine Drake passa par le détroit de Magellan en Amérique du Sud, traversa l'océan Pacifique et rentra dans son pays par les mers de l'ouest. Non loin des côtes de l'Amérique du Sud, il attaqua des navires espagnols, les pilla et rapporta un précieux butin en Angleterre.

En 1588, Drake, Frobisher et Davis, accompagnés d'autres "loups de mer" anglais bien connus, livrèrent bataille et anéantirent l'invincible Armada espagnole, de renommée mondiale, laissant ainsi la route libre à l'expansion du pouvoir maritime britannique.

Et ce fut ainsi que, sans s'en rendre compte, chaque marin, soldat, colon et aventurier, firent œuvre de pionnier sur la route qui mena l'Empire britannique vers la puissance.

HENRY HUDSON

THE name "Hudson" is permanently inscribed in the life of the North American Continent: a mighty river (the Hudson), one of the largest trading organizations in the world (the Hudson's Bay Co.), a broad sea passage (the Hudson Straits), a huge inland sea (Hudson's Bay), and numerous trade marks of industrial products, have all remained permanent tributes to the courage and seamanship of Henry Hudson.

Who was Henry Hudson?

One of the major ambitions of European seafarers during the sixteenth and seventeenth centuries was to find a sea passage to Asia, especially to the fabulously rich lands of India and China. Many unsuccessful attempts were made to find this route and many people perished in the search. This search continued until 1850, when Captain McLure discovered the "North West Passage". From a practical point of view, however, the discovery was useless. The waters of the sea route were ice-bound, and this made navigation impossible most of the year.

The following three explorers gained fame because of their efforts to find the North West Sea Passage: Martin Frobisher, John Davis, and Henry Hudson.

Henry Hudson was an experienced sea captain who had crossed the Atlantic several times. He persisted in his search for a passage to Asia, and during one of his trips in 1609 discovered the Hudson River which flows into New York Bay, on whose shores now stands the largest city in the world, New York.

A year later, the Dutch East India Company, a private trading firm, engaged Hudson to continue his search for a North West Passage. On the 17th of April 1610, Hudson sailed from London on a small fifty-five ton vessel, "The Discoverie." He was accompanied by his fifteen year old son, John, and a crew of twenty-three men.

On July 1, 1610, Hudson reached the body of water, now known as the Hudson Straits, considered to be most treacherous for navigation even during the summer months. The waters of these straits are full of icebergs, and in those early days, when small wooden vessels were in use, and the seas were uncharted, navigation through the straits was especially hazardous.

The crew of the "Discoverie" did not know of the ship's destination. Henry Hudson kept them in ignorance, for fear that they might not be willing to accompany him on his dangerous venture. The sailors, however, soon realized the perils that were facing them, and demanded that Hudson abandon his plans and return to England. Hudson, on the other hand, was determined to go on. In spite of the dangers and the grum-

HENRY HUDSON

LE NOM de "Hudson" est à tout jamais célèbre sur le continent nord-américain. Un fleuve important: l'Hudson; l'une des sociétés commerciales les plus puissantes au monde: "La Compagnie de la Baie d'Hudson"; un large bras de mer: le Détroit d'Hudson; une immense mer intérieure: la Baie d'Hudson; et quantité de marques commerciales sont un hommage permanent à la mémoire du grand et courageux navigateur, Henry Hudson.

Qui était Henry Hudson?

Aux 16e et 17e siècles, l'une des grandes ambitions de l'Europe était de découvrir un passage maritime vers l'Asie, vers les fabuleuses richesses de l'Inde et de la Chine. Plusieurs tentatives demeurèrent infructueuses et bien des hommes y perdirent la vie. Les efforts de localisation du fameux passage du Nord-Ouest se poursuivirent jusqu'en 1850, date à laquelle le capitaine McLure le découvrit enfin. Il se révéla alors complètement inutilisable. La glace en recouvrait les eaux et rendait la navigation impraticable durant la majeure partie de l'année.

Trois explorateurs se sont rendus célèbres par leur recherche obstinée de ce fameux passage. Ce sont: Martin Frobisher, John Davis et Henry Hudson.

Henry Hudson était un capitaine de vaisseau d'une grande expérience, qui avait traversé l'Atlantique à plusieurs reprises. Il poursuivit les recherches entreprises afin de trouver une voie navigable vers l'Asie et, en 1609, au cours de l'un de ses voyages, il découvrit la rivière Hudson qui se jette dans la Baie de New York, sur les rives de laquelle se dresse aujourd'hui la plus grande ville du monde: New-York.

Un an plus tard, une grande maison de commerce, la Compagnie des Indes Néerlandaises, retint les services d'Hudson et lui donna pour mission de continuer sa recherche d'un passage Nord-Ouest. Le 17 avril 1610, il quitta Londres sur un petit bateau jaugeant cinquante-cinq tonnes, le "Discoverie", accompagné de son fils John, âgé de quinze ans, et d'un équipage de vingt-trois hommes.

Le 1er juillet 1610, Hudson atteignit un bras de mer, aujourd'hui désigné sous le nom de Détroit d'Hudson. La navigation y est considérée comme très dangereuse, car on y rencontre des icebergs, même en été. En ce temps-là, l'utilisation de petits bateaux de bois et l'absence de cartes maritimes rendaient ce danger particulièrement menaçant.

L'équipage du "Discoverie" ne connaissait pas la destination du navire. Henry Hudson la leur avait soigneusement cachée, craignant qu'ils refusent de l'accompagner dans sa périlleuse expédition. Toutefois, les marins se rendirent rapidement compte des périls auxquels ils devraient faire face. Ils exprimèrent leur mécontentement, exigeant d'Hudson qu'il mît fin à ses projets et retournât en Angleterre. Mais Hudson était bien décidé à aller de l'avant et, malgré les dangers et l'hostilité de son équipage, il mit le cap vers l'ouest et traversa les eaux

blings of his crew, he continued sailing westward through the turbulent waters of the Hudson Straits. After sailing for some time, the "Discoverie" glided into the broad waters of what is now "Hudson's Bay."

At first Henry Hudson thought that he had reached his goal, that he had discovered the Western passage to Asia. He pictured in his mind the honour and wealth that would be his. But his joy was short-lived. He soon realized that this bay was not an open sea, leading to new continents, but a huge, inland body of water.

Summer was drawing to a close. It was September, and Hudson knew that, in order to return home that year, he must proceed immediately before winter set in. He was unwilling, however, to abandon his search, and lingered in the bay until November, in spite of the demands of his crew. By then it was too late to sail homeward, and he decided to spend the winter where he was.

His crew had been hostile all along, and their hostility increased when they realized that they would have to spend the winter in that unknown water wilderness. But they had no choice in the matter. The winter passed in comparative comfort. The ship was well stocked with food and fuel, and a variety of wild life supplied them with fresh meat. Towards spring the situation became more precarious. The food supplies dwindled. The dissatisfaction of the crew continued to grow and turned at last into mutiny. Only a few men remained loyal to Hudson. Illness, especially scurvy, spread among the men. The food shortage became so acute that they were forced to eat grass.

Because of the long winter, the ice in Hudson's Bay does not melt until the middle of June. On June 18th, 1611, Henry Hudson set sail for England. All those aboard knew, however, that the food supply could not last. On June 21, three days after Henry Hudson set out on his return voyage, his crew mutinied once more and, early that morning, when Hudson came out of his cabin, he was captured and tied up by the mutineers. The same fate befell his son. With his son, and ten of the half-starved men who were loyal to him, he was placed in a small row boat and set adrift among the ice floes of Hudson's Bay. The "Discoverie", with the remaining crew, proceeded on its journey, but the fate of the rebels was also tragic. Four of them were killed by Eskimoes when they landed in search of food. One died of hunger. Only four, half-starved and sick men, finally reached England.

No one knows what happened to Henry Hudson and his group. They probably perished in the icy waters of the bay which carries his name. There is, however, another interesting theory about their fate. On the shores of Hudson's Bay there live several hundred red-headed, blue-eyed, Eskimoes. Some believe that Henry Hudson and his followers were able to save themselves and that they lived among the Eskimoes,

tumultueuses du Détroit d'Hudson. Après quelques jours de navigation, le "Discoverie" pénétra dans la vaste Baie d'Hudson.

Au début, Henry Hudson pensa avoir enfin atteint son but: la découverte du passage occidental vers l'Asie. Il imaginait déjà les honneurs et la fortune dont on le comblerait. Mais sa joie fut de courte durée car il comprit bientôt que cette baie, loin de donner accès à d'autres continents, n'était qu'une grande mer intérieure.

L'été touchait à sa fin. C'était le début du mois de septembre et Hudson se rendit compte que s'il voulait retourner dans son pays la même année, il lui fallait partir immédiatement, avant la venue toute proche de l'hiver. Il répugnait cependant à abandonner son projet et traîna dans la baie jusqu'au mois de novembre, malgré les récriminations de son équipage. Il était alors trop tard pour rebrousser chemin, et il décida d'hiverner sur place.

Les matelots n'avaient cessé, tout au long du voyage, de lui marquer leur réprobation. Leur hostilité s'accrut lorsqu'ils comprirent que cette mer inconnue les retiendrait captifs tout l'hiver. Mais ils n'avaient pas le choix. L'hiver passa plus ou moins confortablement; le bateau possédait un stock suffisant de vivres et de carburant et les produits de la chasse et de la pêche fournissaient de la viande fraîche. Mais vers le printemps, la situation devint plus précaire, les vivres diminuaient. La rancoeur de l'équipage s'aggravait. Une mutinerie éclata. Seuls quelques hommes demeurèrent fidèles à Hudson. Les maladies, notamment le scorbut, firent des ravages parmi les marins. Le manque de vivres devint si sérieux qu'il fallut manger de l'herbe.

En raison de la longueur des hivers, la glace de la Baie d'Hudson ne fond pas avant la mi-juin. Le 18 juin 1611, Henry Hudson repartit pour l'Angleterre, mais tout le monde, à bord, savait que les vivres ne dureraient plus longtemps. Le 21 juin, trois jours après le départ, une nouvelle mutinerie éclata et, à l'aube, lorsque Hudson sortit de sa cabine, il fut capturé et ligoté par les rebelles. Son fils subit le même sort. Avec son fils et dix des membres de l'équipage qui lui étaient restés fidèles, ils furent mis dans une petite barque à rames qui s'en alla à la dérive au milieu des glaçons de la Baie d'Hudson. Le "Discoverie" continua le voyage avec le reste de l'équipage, mais son sort fut également tragique. Quatre d'entre eux furent tués par les Esquimaux, après qu'ils eurent débarqué sur la côte en quête de nourriture. Un autre mourut de faim et seuls quatre rescapés réussirent finalement à regagner l'Angleterre, à demi morts de faim et malades.

Personne ne sait ce qui arriva à Henry Hudson et à son groupe. Ils périrent probablement dans les eaux glacées de la baie qui porte son nom. On a cependant fait valoir une autre hypothèse. Le long des côtes de la Baie d'Hudson, vivent aujourd'hui quelques centaines d'Esquimaux aux yeux bleus et aux cheveux roux. Certains croient que Henry Hudson et ses compagnons réussirent à atteindre sains et saufs le rivage. Ils auraient vécu parmi les Esquimaux et s'y seraient mariés.

married Eskimo women, and that the blue-eyed, fair haired Eskimoes are their descendants.

Henry Hudson has been given a well deserved and honoured place among the great explorers of the American Continent.

C'est ainsi que les Esquimaux aux yeux bleus seraient leurs descendants.

Henry Hudson mérite bien la place d'honneur qui lui est réservée parmi les grands explorateurs du continent américain.

PORT ROYAL — THE FIRST COLONY IN NORTH AMERICA

PORT Royal is a place that is greatly honoured in Canadian history. It was there that the foundations of the Canadian colony were laid. Apart from this Port Royal is famous for several "firsts".

The first successful attempt at founding a permanent colony in North America was made at Port Royal. It was the first of many thousands of settlements which are now scattered throughout North America. The first conversion of an Indian to Catholicism took place there. The first ship in North America was built there. The conflict between England and France for the possession of the North American continent had its beginning in Port Royal. It is also considered to be the birthplace of Canadian literature.

When Canada was discovered, several attempts were made towards her colonization, but they were unsuccessful.

In 1604 a ship set sail from the famous French port of Le Havre. The ship was under the command of Jean de Biencourt de Poutrincourt, a French nobleman who had obtained a monopoly over a portion of Canadian territory. He was accompanied on his voyage by Samuel de Champlain who later became famous as the "father" of French Canada, and one of her greatest explorers.

The ship, on approaching the Canadian coast, was seeking a suitable harbour. Sailing around the coast of Nova Scotia, they came to "a beautiful harbour which could have sheltered two thousand ships and more", as Champlain had noted in his memoirs. He named it Port Royal — the "Royal Harbour."

Poutrincourt was much taken with the area. He decided to return to France and come back with more colonists. A group of about fifty people remained behind in Port Royal.

The little colony's first winter was a tragic one. Twelve of the colonists died of scurvy and many others fell ill.

Poutrincourt became involved in a legal case, while in France, and could not return to Port Royal as he had planned. The remaining colonists decided to set sail for France.

While at sea, the colonists learned from a passing vessel that Poutrincourt had already left France and was on his way to Port Royal. They immediately reversed their course and returned to the colony, where Poutrincourt had already landed with men and provisions.

Among the new colonists who accompanied Poutrincourt was the lawyer, journalist, and writer — Marc Lescarbaut, who was the first Canadian author and historian. He left a most interesting and amusing account of early Canada.

PORT-ROYAL: PREMIERE COLONIE NORD-AMERICAINE

PORT-ROYAL est un nom célèbre de l'histoire du Canada. C'est là que sont nées la colonie canadienne et l'histoire du Canada. Mais Port-Royal prend rang de pionnier à plusieurs autres titres.

Port-Royal fut le résultat de la première réussite d'établissement d'une colonie permanente en Amérique du Nord. Ce fut aussi la première de plusieurs centaines d'autres qui, aujourd'hui, s'étendent sur le continent américain. Le premier Indien à se convertir à la religion catholique le fit à Port-Royal. C'est là que fut lancé le premier bateau construit en Amérique du Nord. Le premier conflit entre l'Angleterre et la France, qui eût pour enjeu la possession de l'Amérique du Nord, éclata à Port-Royal. Enfin, c'est en cet endroit que prit naissance la littérature canadienne.

Lors de la découverte du Canada, plusieurs tentatives de colonisation furent effectuées, mais restèrent infructueuses.

En 1604, un bateau quitta Le Havre, grand port situé en France. Ce navire était placé sous le commandement d'un gentilhomme français, Jean de Biencourt de Poutrincourt, qui s'était vu concéder le monopole d'une partie du territoire canadien. Poutrincourt était accompagné de Samuel de Champlain, qui se méritera plus tard le titre de "père du Canada français", dont il allait devenir l'un de ses plus prestigieux explorateurs.

A l'approche des côtes du Canada, le bateau se mit à la recherche d'un havre pour y débarquer. Naviguant près des côtes de la Nouvelle-Ecosse, l'expédition trouva finalement un site convenable. Champlain note dans ses mémoires que l'endroit choisi était un beau havre naturel, capable d'abriter 2,000 bateaux et même davantage. Samuel de Champlain le nomma Port-Royal.

Poutrincourt s'éprit de la région et il résolut de retourner en France et de revenir avec d'autres colons. Un groupe d'une cinquantaine d'hommes resta à Port-Royal.

Le premier hiver de cette petite colonie fut des plus tragiques. Douze colons moururent du scorbut et plusieurs autres tombèrent malades.

Entre-temps, Poutrincourt était aux prises avec des difficultés légales en France. Son départ fut retardé. Ne le voyant pas revenir, les colons prirent la décision de rentrer en France.

Ils avaient largué les voiles et se trouvaient déjà en haute mer, quand ils apprirent par un navire de passage que Poutrincourt avait quitté la France en route pour Port-Royal. Ils firent immédiatement demi-tour et revinrent au port, où Poutrincourt avait déjà débarqué avec ses nouveaux colons et ses vivres.

Parmi les nouveaux venus se trouvait l'avocat, journaliste et écrivain, Marc Lescarbaut. Il allait devenir le premier auteur et historien

Poutrincourt was determined to establish the colony on a firm foundation. The colonists began cultivating many acres of land, a water mill was built, and roads were hewn out of the wilderness. The colony became a reality.

Enforced idleness during the long winter months prompted the colony's leaders to found a club, which they named "The Order of Good Cheer", a society which "does away with care and sorrow". Members took turns in providing meals for the club meetings. It was the ambition of each member to outdo the other in the preparation of appetizing dishes. Everyone went hunting and fishing in order to provide their table with exotic and tasty delicacies.

The mid-day meal became associated with a particular ceremony. First the chef would enter, dressed in full regalia, followed by members carrying trays loaded with food. There were daily holiday feasts.

In the spring of 1607, tragedy struck Port Royal. The French monarch, as a result of machinations on the part of intriguers at court, ordered the colony to be abandoned. No appeal could sway his decision, and his order was carried out on the 11th day of August 1607.

Poutrincourt, however, did not remain idle. With all the means at his disposal he tried to obtain permission from the French Government to re-establish Port Royal. His wish was finally granted, and in 1610 he set sail once again for Port Royal.

Having re-established the colony he sailed for France, leaving behind his son, Biencourt, as administrator of the small settlement. Upon his return to Port Royal in 1614, four years later, he found the colony destroyed; it had been burnt by the British.

Biencourt, Poutrincourt's son, was found in the woods, where he was cared for by the Indians. Poutrincourt returned to France, dejected and broken in spirit. A year later, while suppressing a rebellion in France, he fell in battle.

Thus ended the story of Port Royal, the first colony in North America.

canadien. Il écrivit la chronique, à la fois fort intéressante et divertissante, des premières réalisations de l'histoire du Canada.

Poutrincourt se hâta d'établir la colonie sur des bases solides. Les colons se mirent immédiatement à l'ouvrage; des champs furent défrichés et ensemencés; un moulin à eau fut construit et plusieurs routes furent percées à travers la forêt. La colonie devint une réalité.

En prévision des longs mois d'hiver, durant lesquels le travail se ferait au ralenti, les chefs de la colonie formèrent une confrérie appelée "l'Ordre du Bon Temps", qui avait pour but de faire oublier les soucis et les tracas des colons. Chaque membre, à tour de rôle, était responsable de la préparation d'un repas qui était servi lors de leurs réunions. Il va sans dire que chacun s'évertuait à surpasser les autres et essayait de présenter des mets inédits. Tout le monde se rendait à la chasse ou à la pêche, afin de garnir la table de mets nouveaux et appétissants.

Un rite particulier accompagna bientôt le déjeuner de la confrérie. Le chef faisait son entrée en costume de gala suivi des membres de la confrérie qui portaient les différents plats. Chaque jour, c'était fête.

Au printemps de l'année 1607, le destin les frappa. Le roi de France, en raison des intrigues et des inlassables machinations de la Cour, donna l'ordre d'abandonner la colonie. Il proclama que rien ne parviendrait à changer sa décision et, le 11 août 1607, Port-Royal fut abandonné.

Mais Poutrincourt ne resta pas inactif. Il tenta, par tous les moyens possibles d'amener le gouvernement français à lui accorder l'autorisation de rétablir Port-Royal. Après trois années d'efforts incessants, il réussit enfin à obtenir la permission si longtemps attendue et il s'embarqua en 1610.

Poutrincourt remit sur pied la colonie, puis retourna en France, confiant à son fils, Biencourt, la charge d'administrer la petite communauté. A son retour à Port-Royal en 1614, quatre ans plus tard, il ne retrouva plus que ruines: la colonie avait été complètement détruite et incendiée par les Britanniques.

Le fils de Poutrincourt, Biencourt, fut retrouvé dans la forêt, où les Indiens avaient pris soin de lui. Poutrincourt rentra en France. C'était un homme fini. Un an plus tard, un combat, qui mettait fin à une rébellion dont la France était agitée, fut l'occasion de sa mort.

Ainsi prit fin l'épopée de Port-Royal, première colonie fondée en Amérique du Nord.

SAMUEL DE CHAMPLAIN

THE wheels of history at times turn very slowly. Sometimes people try fruitlessly to hurry them along or slow them down. They do not understand that the evolution of history must travel at its own pace.

Jacques Cartier made three journeys to Canada. The first two, in 1534 and 1535, were for the purpose of exploration. The third, in 1541, was for the purpose of colonization. An attempt was made at that time to settle in Canada. These efforts were unsuccessful and for years to come nothing was to materialize. In the meantime France was experiencing many difficulties. The country suffered political and religious unrest. Canada was forgotten for over half a century. Colonization efforts ceased completely.

However, there is a time and place for all things. France overcame its difficulties. The fur trade became an important economic factor and turned its attention to the distant colonies where fabulous wealth in furs was to be found. The time was ripe for new undertakings. People were anxious to explore new territories, and France found the right man for the job in Samuel de Champlain who opened Canada and helped organize her immense fur trade.

Champlain is a very popular name in Canada. Lakes, parks, streets, and so on, bear his name. Who was Champlain? What part did he play in the development of Canada?

Samuel de Champlain was born in 1567. He was a seafarer and an adventurer. Most of his life had been spent at sea and he visited such far away countries as Peru, Mexico, and other places on the American Continent, which were being explored and studied at that time. Champlain was well known as a traveller and as an authority in navigation and geography.

In 1603, the French king, Henry IV, appointed Champlain as Royal Geographer. He was instructed to explore the St. Lawrence River, its surrounding territory, and to prepare official maps of the area.

Champlain arrived in Canada and fell in love with the country. He marvelled at the riches of the land and at its wonderful opportunities for development. He proceeded with his explorations of the St. Lawrence region and reached the island of Montreal. Here Champlain met for the first time the Canadian Indian. In comparison with the Peruvian or Mexican Indians, the Canadian natives were more primitive. Champlain became friendly with the Indians and tried to gain as much information as possible about the country from them. He made serious efforts to draw maps of the St. Lawrence region, studied plants and animals and the possibilities of colonizing the land. He returned to France in the same year, bringing with him a shipload of furs. He gave an enthusiastic report about the wonderful opportunities existing in New France.

Interest in Canada grew. The King of France granted the fur

SAMUEL DE CHAMPLAIN

LA roue de l'histoire tourne parfois au ralenti. De temps à autre, les hommes tentent d'en accélérer ou d'en ralentir le cours, mais en vain. Il ne comprennent pas que l'évolution de l'histoire se poursuit à son propre rythme.

Jacques Cartier entreprit trois voyages au Canada. Les deux premiers, en 1534 puis en 1535, furent des voyages d'exploration. Le troisième, en 1541, avait un but de colonisation. Des efforts furent alors accomplis pour permettre une installation permanente au Canada. Mais ces efforts échouèrent et des années passèrent sans que rien ne se matérialisât. Pendant ce temps, la France était en proie à de nombreuses difficultés. Des crises religieuses et politiques la harcelaient. Elle oublia le Canada pendant plus d'un demi-siècle. Les essais de colonisation cessèrent complètement.

Mais chaque chose vient en son temps. La France surmonta ses difficultés et se releva. La traite des fourrures devint un important facteur de la vie économique et l'on tourna les yeux vers les lointaines colonies où les fourrures se trouvaient en abondance. Le temps était mûr pour de nouvelles entreprises. Les hommes étaient impatients d'explorer les nouveaux territoires et la France trouva l'homme qu'elle cherchait en la personne de Samuel de Champlain, qui ouvrit les portes du Canada et du marché des fourrures.

Champlain est un nom très répandu au Canada. Des lacs, des parcs, des rues, bien d'autres choses portent son nom. Qui était Champlain et quel rôle joua-t-il dans le développement du Canada?

Samuel de Champlain naquit en 1567. Il fut marin et explorateur. Il passa en mer la plus grande partie de sa vie, visita des pays lointains, tels le Pérou, le Mexique et de nombreuses régions du continent américain qui faisaient alors l'objet d'explorations et d'études. Champlain était donc bien connu comme navigateur, de plus, il était un géographe réputé.

En 1603, Henri IV, roi de France, le nomma "géographe du Roi" et le chargea d'explorer le fleuve Saint-Laurent et les territoires environnants. Champlain reçut également pour mission de tracer la carte géographique officielle de ces territoires.

Dès son arrivée au Canada, il aima le pays. Il s'émerveilla de ses richesses et des possibilités illimitées qui s'offraient aux hommes courageux et travailleurs. Il explora le Saint-Laurent et remonta le fleuve jusqu'à l'île de Montréal. Ce fut là que, pour la première fois, il fit la connaissance des Indiens. Comparés aux Indiens du Mexique et du Pérou, ceux du Canada étaient plus primitifs. Mais Champlain les traita en amis et chercha à obtenir le plus de renseignements possible sur les régions avoisinantes. Il s'efforça avec application de tracer carte de la région du Saint-Laurent et étudia la faune et la flore du pays, sans omettre l'examen des possibilités de colonisation. Il retourna en France la même année, avec tout un chargement de fourrures. Il fit

monopoly to a fur trading company. At that time it was customary in Europe to grant colonial trading monopolies to private interests. In return for these privileges the king received special taxes. Besides paying the taxes, the merchant trading companies to whom monopolies were granted, undertook to manage the affairs of the colony and aid in its colonization.

Canada was given over to such a trading company, and Champlain became one of its chief administrators. In 1604 Champlain returned to Canada where he continued ceaselessly to explore the country. His knowledge of Canada and of its territory increased steadily. In 1608 he founded the City of Quebec. The name is derived from the Indian world "quebec", meaning the narrowing of the river. The City of Quebec is situated on the shores of the St. Lawrence where the river narrows down to less than a mile.

In his work as explorer and representative of the trading company, Champlain met with many difficulties, the most serious of these being the wars with the Indians. Champlain allied himself with the Huron tribe in order to subdue the Iroquois. The Iroquois attacked the French and the other Indian tribes. Though Champlain succeeded in defeating the Iroquois on many occasions, the fight was a costly one in human lives and for many years the savage Iroquois threatened the life of the young colony.

Champlain had great faith in Canada and called it "New France". He often wrote to his king, describing the wonders of the new land, the life of the natives, the possibilities for colonization that existed there.

Champlain worked diligently in his efforts to colonize Canada, however, his task was a difficult one. French colonists were reluctant to come to the new unknown country. Louis Hebert arrived in Canada in 1617. He was the first farmer who settled in Canada. It is said that Champlain was a poor colonizer, being primarily a soldier and explorer. However, it is possible that his failure in colonization was due to other reasons. The fur traders who had come to Canada did not want to see the country colonized, because they knew that cultivated land would harm the fur trade. Champlain, however, was never discouraged. He remained true to New France until his death in 1635.

Champlain gave Canada the best years of his life. The City of Quebec is a living monument to his achievements. As a devout Catholic, he helped the missionaries bring the Catholic faith to the Indians.

Champlain recorded his explorations, episodes of Indian life, and descriptions of the land. The six books which he wrote tell the story of the beginning of French settlement in Canada. He sacrificed much for Canada, and Canada has gratefully acknowledged his contribution

un compte-rendu enthousiaste de la chance magnifique qui s'offrait en Neuve-France.

Le Canada devint l'objet d'une curiosité plus intense. Le roi de France octroya le monopole de la fourrure à une compagnie commerciale privée. A cette époque, en Europe, la coutume était d'offrir des monopoles commerciaux à des entreprises privées qui désiraient s'établir dans les colonies. En échange de ce privilège, le roi percevait un impôt spécial. En outre, les compagnies marchandes qui se voyaient octroyer un monopole, s'engageaient à mener à bien les affaires de la colonie et à contribuer à sa colonisation.

Le Canada fut cédé à l'une de ces compagnies. Samuel de Champlain en était l'un des principaux administrateurs. En 1604, Champlain retourna au Canada et y poursuivit inlassablement ses explorations. Il apprit à mieux connaître le territoire et, en 1608, il fonda la cité de Québec, dont le nom provient du mot indien "québec" qui signifie "passage étroit". La cité de Québec est située sur les rives du Saint-Laurent, dont le lit s'étrangle à cet endroit sur une largeur de moins d'un mille.

Ses occupations d'explorateur et d'administrateur de compagnie mirent Champlain aux prises avec de nombreuses difficultés. Parmi les plus sérieuses, mentionnons les guerres contre les Indiens. Champlain s'allia aux Hurons afin de chercher à soumettre les Iroquois. Les Iroquois attaquaient les Français aussi bien que les autres peuplades indiennes. Bien que Champlain réussit à vaincre les Iroquois à plus d'une reprise, ces luttes incessantes furent très coûteuses en vies humaines et menacèrent la nouvelle colonie pendant des années.

Champlain avait grand espoir dans l'avenir du Canada, qu'il appelait: "Neuve France". Il faisait souvent parvenir des missives au roi. Il y décrivait les beautés du nouveau pays, la vie et les coutumes des Indiens, les possibilités de colonisation.

Champlain travailla sans relâche au peuplement du pays. Mais cette tâche se révéla bien ingrate. Très peu de français se montraient désireux d'aller s'installer dans ces régions inconnues. En 1617, Louis Hébert arriva au Canada. Il fut le premier fermier canadien à s'y établir. On dit que Champlain n'était qu'un piètre colonisateur, qu'il était avant tout un soldat et un explorateur, mais il est possible que les raisons de son insuccès soient à chercher ailleurs. Les marchands de fourrures n'approuvaient pas les projets de colonisation du pays, car ils savaient que la mise en culture des terres nuirait à leur commerce. Rien cependant, ne put décourager Champlain. Jusqu'à sa mort, survenue en 1635, il resta l'ami fidèle de la Nouvelle France.

Champlain donna les meilleures années de sa vie au Canada. La cité de Québec est le monument vivant qui perpétue sa mémoire. En catholique fervent, il aida les missionnaires à étendre la religion catholique parmi les Indiens.

Champlain consigna par écrit ses voyages, ainsi que des épisodes de la vie des Indiens et une description de la nature du sol. Les six livres qu'il a laissés racontent les débuts de la colonisation française au Cana-

having honoured him with the immortal title — "Father of New France." He was buried in Quebec, but the exact place of his grave is unknown.

da. Il a payé de sa personne et le Canada a rendu un hommage reconnaissant à sa précieuse contribution en lui conférant le titre immortel de "père de la Nouvelle France". Il fut enterré à Québec, mais on ignore le lieu exact de son tombeau.

THE FIRST CANADIAN FARMER

A certain magic is contained in the word, "the first." The first to make a discovery, the first to invent, the first to express an idea or thought.

It must be admitted that the honour usually accorded to those who come first, is well deserved. It is not easy to be first. It demands much work, effort, courage, endurance, and conscientiousness.

Canada has also had her "firsts." For example, there were the first pioneers, who in their modest way laid the foundation of present day Canada. This story will tell about a simple person who claimed no greatness. Very little has been said or written about him but, in his own way, with persistence, loyalty, enthusiasm and toil, he prepared Canada to receive the coming generations. This pioneer is the first Canadian farmer, Louis Hebert.

In a small quiet street in Paris lived a druggist by the name of Louis Hebert. This druggist had a young son of the same name. Young Louis Hebert heard many tales about the far-away land of Canada. He loved country life, fields and forests, and understood that in Canada, he could enjoy the freedom of open spaces which he could not find in his native France.

When Louis' father died, Louis inherited his business and became a druggist. He married and became quite successful. Yet he never forgot about far-away Canada or, as it was called at the time, New France. From time to time, whenever reports from New France reached Paris, his longing for the new land returned. In time, Louis Hebert's longings for Canada were fulfilled.

Early in the year 1604, he heard of an expedition which was preparing to leave for Canada. Without hesitation, he decided to join it. Leaving his wife in charge of his shop, he sailed for New France in March of 1604. The small expedition first settled on the island of Ste. Croix, and later moved to the site occupied by the fortress of Port Royal. The settlers had to work hard to establish themselves in the new country, but they were happy. Six years later, in 1610, Madame Hebert joined her husband in their new homeland.

Meanwhile, war broke out between France and England. The European conflict had its effect on the young settlement of Canada as well. In 1613 Captain Argyle, of the English forces, attacked and completely destroyed the French settlement at Port Royal, which had taken so many years of toil and self-sacrifice to build. The French lost everything, and broken-heartedly returned to their mother country. But Louis Hebert loved Canada and cherished the hope of returning. The opportunity soon presented itself. In 1608, Samuel de Champlain founded the City of Quebec. Nine years later, in 1617, he returned to France to purchase

LE PREMIER FERMIER CANADIEN

UNE sorte de magie entoure le mot "premier". Un tel est le "premier" à faire une découverte, tel autre est le "premier" à inventer quelque chose, tel autre encore est le "premier" à exprimer une idée ou une pensée.

Il faut admettre que l'honneur réservé à ceux qui l'emportent sur les autres est bien mérité. Il n'est pas facile d'être le premier, cela demande beaucoup de travail, d'effort, de courage, d'endurance et de conscience.

Le Canada, lui aussi, compte ses premiers. Il y a, par exemple, les premiers pionniers qui, à leur façon et bien modestement, contribuèrent à poser les fondations du Canada d'aujourd'hui. L'histoire que nous allons raconter ici est celle d'un homme simple, dépourvu de toute ambition. Très peu de choses ont été dites ou écrites à son sujet, cependant, à sa manière, avec persévérance, loyauté, enthousiasme et l'application, il prépara le sol de notre pays pour les générations futures. Ce pionnier est Louis Hébert, le premier agriculteur canadien.

Dans une petite rue paisible de Paris, vivait un apothicaire du nom de Louis Hébert. Il avait un fils répondant au même prénom. Le jeune Louis avait entendu raconter bien des récits sur le Canada lointain. Il aimait la vie à la campagne, les champs et les forêts, et il se rendait compte qu'au Canada, il pourrait profiter des grands espaces qui n'existaient pas en France.

A la mort de son père, Louis hérita du commerce familial et devint à son tour apothicaire. Il se maria et son commerce prospéra. Cependant, il continuait de penser au Canada, à la Neuve-France, comme on l'appelait alors. De temps en temps, lorsque des nouvelles de ce pays lointain parvenaient à Paris, son impatience remontait à la surface. Le jour arriva où les rêves de Louis Hébert devinrent une réalité.

Au début de l'année 1604, Louis apprit qu'une expédition se préparait à partir pour le Canada. Sans hésitation, il décida de s'y joindre et, laissant à sa femme le soin de gérer leur boutique, il s'embarqua pour la Nouvelle France en mars 1604. La petite troupe s'installa d'abord dans l'île Ste-Croix, puis alla s'installer aux alentours du fort de Port-Royal. Les colons travaillèrent d'arrache-pied, mais de gaieté de coeur, à s'installer. Six ans plus tard, en 1610, Madame Hébert rejoignit son mari dans leur nouvelle patrie.

Entre-temps, la guerre éclata entre la France et l'Angleterre. La colonie naissante en subit les contre-coups. En 1613, un Anglais, le capitaine Argyle, attaqua et anéantit toute la colonie française de Port-Royal, dont l'aménagement avait demandé des années de dur labeur et de sacrifices. Les Français se retrouvèrent complètement ruinés et, le coeur brisé, ils retournèrent dans leurs pays. Mais Louis Hébert aimait le Canada et chérissait l'espoir d'y retourner. Une occasion se présenta bientôt. En 1608, Samuel de Champlain fondait la cité de Québec. Neuf ans plus tard, en 1617, il revint en France pour s'y approvisionner et y engager de nouveaux colons. Hébert l'apprit. Il offrit ses services

supplies and to induce new settlers to come to Canada. Louis Hebert heard of this and immediately joined Champlain. In July 1617, Louis Hebert and his family landed in Canada for the second time. The small settlement at that time had only one large building, erected by Champlain. Behind it was a high cliff. When Hebert ascended the cliff, he beheld the most beautiful sight he had ever seen. The mighty St. Lawrence, the towering cliff, the virgin forest, all combined to form one majestic view.

The soil of the land was good and Hebert resolved to become a farmer. Samuel de Champlain was very pleased with this decision and gave Hebert all the land he wanted. Hebert cleared the land, built a house, and thus became the first farmer in Canada.

In Quebec City, facing the City Hall, stands a monument, which is the work of the French-Canadian sculptor, Hebert, a descendant of the first Canadian farmer, Louis Hebert. The statue depicts Louis Hebert proudly displaying the first sheaf of grain grown in Canada — grain that he himself had sown. At the base of the statue, the figures of Hebert's wife and children, absorbed in study can be seen. Along with the family group the figure of Hebert's son-in-law, William Couillard, a farmer and co-worker is also shown. It is said that Couillard was the first to use a plough in Canada. On the monument, his figure is shown leaning against a plough.

It was not easy for Louis Hebert to become a farmer in Canada. Not only was the work physically hard but there were other problems as well. The influential fur traders who exercised power in Canada discouraged farming. They feared that cultivation of the land and the arrival of more settlers would drive away the wild, fur bearing animals. In spite of numerous obstacles, Hebert continued his work. He cultivated the land, and his determination helped bring riches and security to thousands of other French settlers.

Thus, with Louis Hebert as its first farmer, began Canada's agricultural development. He was the first true Canadian colonist and was followed by many others, without whom French Canada's growth would not have been possible.

à Champlain, et, au mois de juillet 1617, il débarquait au Canada avec sa famille, pour la deuxième fois. A cette époque, Québec n'était formé que d'un grand immeuble bâti par Champlain. Derrière ce bâtiment, surgissait une haute falaise. Lorsque Hébert l'eut escaladée, il put admirer l'un des plus beaux paysages qu'il avait jamais vus. Le puissant Saint-Laurent, le rocher à pic, la forêt inexplorée formaient un spectacle majestueux.

Le sol de la région était fertile et Hébert résolut de se consacrer à l'agriculture. Samuel de Champlain fut très heureux de cette décision et lui offrit autant de terre qu'il en désirait. Il devint ainsi le premier agriculteur canadien.

Une statue se dresse en face de l'hôtel de Ville de Québec. Elle porte la signature d'un sculpteur canadien français, Hébert, descendant de Louis Hébert. Cette statue représente l'ancêtre des cultivateurs canadiens montrant fièrement les prémices de son travail, le premier épi de blé récolté au Canada. Sculptés dans le socle, sa femme et ses enfants s'absorbent dans l'étude. A côté du groupe, apparaissent le gendre et l'adjoint de Louis Hébert, Guillaume Couillard. Il paraît que Couillard fut le premier cultivateur canadien à utiliser la charrue. Aussi le statuaire l'a-t-il représenté s'appuyant contre sa charrue.

Louis Hébert n'eut pas la tâche facile. Outre que le travail était physiquement pénible, il eut à faire face à quantité de problèmes. Les influents marchands de fourrures, qui détenaient le pouvoir au Canada, décourageaient l'agriculture. Ils craignaient que la culture des terres et l'immigration d'autres colons ne nuisent à leurs intérêts en éloignant les animaux sauvages. Mais, en dépit des pressions exercées sur lui, Hébert continua son travail. Il cultiva le sol avec une obstination à laquelle des milliers d'autres colons français allaient devoir leur richesse et leur sécurité.

Louis Hébert fut ainsi le père de l'agriculture canadienne. C'est lui qui fut vraiment le premier colon canadien. Son exemple fut suivi par beaucoup d'autres, sans lequel le Canada français n'aurait jamais pu se développer.

WHEN CANADA BELONGED TO A PRIVATE TRADING COMPANY

THE history of mankind is rich in curiosities. One of the curiosities in Canadian history is the fact that at one time Canada belonged to a private trading company. It may seem strange that a country of such immensity should have been the property of a few private individuals — of a trading company — but such was the case. In order to understand this interesting development, we must be acquainted with the situation that prevailed in Europe during the seventeenth century.

Nearly all European powers at that time sought to obtain colonies. Those governments which had more vision and could foresee the potential value of colonies were naturally more aggressive in this respect. Others, not nearly as interested, had fewer colonies. One aspect which all European governments had in common was their colonial policy.

The colonial policy of European powers in the seventeenth century was built on the economic philosophy known as mercantilism. Briefly, the mercantilist philosophy may be described as one which regards foreign trade to be the most significant factor in the country's economy. The prosperity of a country was judged in terms of gold. As a result, every country tried to acquire as much gold bullion as possible. Since gold was the chief factor in a country's prosperity, all the ways and means of acquiring it became a part of its national policy. The chief targets of this policy of exploitation were the colonies, regarded privately in terms of how much gold and profit they could yield.

The French monarchy and King were too lethargic to bother about colonization. To be free from the problem of colonial administration, and at the same time to enjoy the profits derived from colonial resources, it was decided to turn over the colonies to private trading companies. While these companies managed and exploited the colonies, the King was a partner to their profits and obtained from them a huge income.

In this manner, Canada, or New France, fell under the control of a trading company. These trading companies were often changed. Between the years 1599 and 1627 Canada "changed hands" about six times. In the year 1627, Canada was handed over to the management of the most famous and outstanding company, which called itself the Company of One Hundred Associates.

There were many reasons why the king changed companies so often. Sometimes they were political, but more often they were economic ones. The monopoly of exploiting Canada was usually given to the highest bidder.

It is really interesting to consider the rights and power privileges accorded to these trading companies.

QUAND LE CANADA APPARTENAIT A UNE COMPAGNIE PRIVEE

L'HISTOIRE de l'humanité abonde en faits singuliers. L'une des singularités de l'histoire du Canada est le fait que le Canada a, jadis, appartenu à une compagnie commerciale privée. Il peut sembler étrange qu'un immense pays comme le Canada ait été la propriété de quelques personnes — d'une entreprise commerciale — mais le fait est historique. Si nous voulons le comprendre, nous devons nous pencher sur l'histoire du 17e siècle européen.

A cette époque, la plupart des puissances européennes étaient à la recherche de colonies. Les gouvernements capables de voir loin et d'évaluer l'importance possible des colonies, adoptaient naturellement une politique plus combative à cet égard. Les autres Etats, moins directement intéressés, possédaient moins de colonies. Mais il est un point sur lequel tous les gouvernements européens se ressemblaient: c'est la nature de leur politique coloniale.

La politique coloniale des puissances européennes au 17e siècle s'appuyait sur une philosophie économique connue sous le nom de mercantilisme. En résumé, il s'agit d'une philosophie qui considérait le commerce extérieur comme le facteur le plus significatif de l'économie d'un pays. L'or servait de mesure à la prospérité de celui-ci. En d'autres mots, chaque pays tentait d'amasser le plus d'or possible. Puisque l'or était le facteur principal de la prospérité d'un Etat, tous les moyens d'en faire l'acquisition devenaient partie intégrante de la politique nationale de chaque puissance. L'enjeu décisif de cette politique d'exploitation était la possession de colonies, dont on estimait la valeur à la quantité d'or et de profits qu'elles pouvaient rapporter.

La monarchie française était trop indolente pour se soucier de la colonisation. Le roi désirait se laver les mains des problèmes d'administration coloniale mais voulait toutefois en retirer des profits. Il fut donc décidé de confier la gestion des colonies à des entreprises commerciales privées. Tandis que ces compagnies administraient et exploitaient les nouveaux territoires, le roi s'associait à leurs bénéfices dont il tirait une excellente source de revenus.

C'est ainsi que le Canada — la Nouvelle-France — fut placée sous l'égide d'une compagnie marchande. Mais ce monopole fut souvent sujet à des substitutions de titulaires. De 1599 à 1627, le Canada "changea de mains" à peu près six fois. En 1627, le pays appartenait à la plus importante et la plus renommée de toutes: la Compagnie des Cent-Associés.

Plusieurs motifs poussaient le roi à changer si souvent de compagnies. Parfois, c'était pour des raisons politiques mais, le plus souvent, des raisons économiques étaient en cause. Le monopole de l'exploitation du Canada allait normalement au plus offrant.

Il est très intéressant d'examiner les droits et privilèges régaliens accordés à ces entreprises.

They enjoyed full control over all phases of life in Canada. All judicial, political and economic power flowed from the governor who was as a rule a company appointee, even though he also had the King's assent. Such a governor exercised authority in every nook and cranny of colonial life. He had a right to levy taxes, set up courts, hire and fire administrative personnel, but, above all, complete authority over the fur trade.

It is not hard to imagine that under such a system the colonization interests of Canada were neglected because, as the noted French historian, J. Bruchesi, pointed out, the merchants showed little stomach for contributing their money to the country's colonization. For example, fifteen years after the Company of One Hundred Associates had promised to establish 4000 colonists, New France numbered little more than 500 inhabitants. Twenty years after it had been founded, Quebec had only eight-five residents, among whom there were eleven interpreters, fourteen clerks, and ten missionaries.

It must be said however, that the fault lay not entirely with the Company. Settlers were difficult to find and the fur trade was more profitable than colonization. But a change was soon to come. France began taking greater interest in her colony. In 1663 the rule of the Company was ended and replaced by that of the Royal Government.

Elles jouissaient d'un contrôle absolu sur toutes les activités de la vie canadienne. La plénitude des pouvoirs juridiques, politiques et économiques appartenait à un gouverneur nommé statutairement par la compagnie, bien qu'il dût obtenir également l'assentiment du roi. Le gouverneur exerçait son autorité sur toute la vie de la colonie, jusque dans les moindres détails. Il avait le droit d'imposer des taxes, d'instituer des tribunaux, d'engager et de renvoyer le personnel administratif. Avant tout, il possédait plein pouvoir sur le monopole du commerce des fourrures.

Il est facile d'imaginer que, sous un tel régime, les intérêts de la colonisation du Canada étaient négligés, car, comme le dit un historien canadien-français de renom, J. Bruchési, les marchands ne s'empressaient pas d'offrir leur contribution financière aux projets de colonisation du pays. Par exemple, quinze ans après que la Compagnie des Cent-Associés eut promis de faire venir 4,000 colons, la Nouvelle-France ne comptait qu'un peu plus de 500 habitants. Vingt ans après la fondation de Québec, 85 personnes seulement y résidaient, dont 11 interprètes, quatorze commis et une dizaine de missionnaires.

Il serait cependant injuste de rejeter toute la responsabilité de cet état de choses sur les compagnies. Les colons étaient difficiles à trouver et le commerce de la fourrure était plus profitable que la colonisation. Cependant, un changement devait bientôt s'opérer. La France s'intéressa davantage au Canada et, en 1663, la compagnie cessa d'exercer le contrôle et fut remplacée par un gouvernement royal.

FOR THE GLORY OF GOD

FRENCH Canada is deeply religious. The religion of the French population in Canada, and the profound roots which the Catholic Church had struck and nurtured on Canadian soil are not a matter of accident.

Representatives of the Catholic Church came to Canada with the first pioneers. Their work in those difficult days will remain in the annals of American and Canadian history as a glorious chapter relating deeds of courage and dedication, of heroism and self-sacrifice.

There were several motives behind the voyages of discovery and mapping of the new land. Chief among them was the wish to exploit the untapped fur resources of Canada for the sake of enormous profits. Another motive was the purely patriotic attempt to expand French power and influence. The third motive — of great importance — was a religious one.

The natives of Canada, the Indians, were pagans, and the Catholic Church sought to bring them into the Christian fold. The conversion of the Indians to Christianity was a difficult task. Samuel de Champlain, father of French Canada, once stated that the conversion of one soul to Christianity was more important than the acquisition of a kingdom. Thus the work of the Catholic missionaries, men and women, deeply religious and profoundly inspired by their faith, was to have a lasting influence on the development of New France. Missionaries built schools, hospitals, churches and founded new communities. Working closely with the fur trader, they helped to open up the new land. They stopped at nothing and at the risk of their lives, with undaunted courage, penetrated further into the interior of the country.

The first members of the clergy to come to Canada were the Recollet monks, who belonged to the Franciscan Order. They landed in Canada in 1615. An ascetic group, dedicated to a life of poverty, the rule of their Order prohibited any kind of private property or possessions. However, missionary work required some means and for this reason the Recollets found their work difficult. There were only four of them. Their superior, Le Caron, was the first to compile a dictionary of the Indian language as it was spoken by the Huron tribe. Le Caron also had the honour of being the priest who officiated at the first Christian wedding in Canada.

The Recollet Monks were followed by a more powerful and much wealthier Order — the Jesuits. The first Jesuits came to Canada in 1625. Their influence has been great to this very day.

The Jesuit Order was founded in the sixteenth century by Ignatius Loyola. The word "Jesuit" actually means "a member of the Society of Jesus". It was an aristocratic organization and many of its members

A LA GLOIRE DE DIEU

LE Canada français est religieux. L'attitude religieuse de la population française du Canada, les racines profondes que l'Eglise catholique a plantées et entretenues en territoire canadien, ne sont pas dues au hasard.

Les représentants de l'Eglise catholique arrivèrent au Canada en même temps que les premiers pionniers. Le travail qu'ils y accomplirent en ces jours difficiles, restera pour toujours, dans les annales de l'histoire américaine et canadienne, l'un des plus glorieux exemples de courage et de dévouement, d'héroïsme et de sacrifice.

Plusieurs objectifs inspiraient les voyages d'exploration et d'étude cartographique des nouveaux territoires. En premier lieu, venait le désir d'exploiter le nouveau commerce des fourrures et d'en retirer d'énormes profits. Une autre considération, cette fois purement patriotique, était l'ambition d'étendre le pouvoir et l'influence de la France. Le troisième motif avait une grande importance: c'était la religion.

Les autochtones, les Indiens, étaient païens. L'Eglise catholique essaya de convertir ces païens au christianisme. Ce fut une tâche ardue et Samuel de Champlain, le père du Canada français, dit un jour que la conversion d'une seule âme au christianisme était plus importante que la conquête d'un royaume. C'est ainsi que l'oeuvre des missionnaires catholiques, hommes et femmes doués d'une foi profonde, eut une influence durable sur le développement de la Nouvelle-France. Ils bâtirent des écoles et des hôpitaux, des églises et des villages et, grâce à une étroite collaboration avec les explorateurs et les marchands de fourrures, ils contribuèrent à ouvrir les portes du nouveau continent. Aucune difficulté ne les arrêta et, au risque de leur propre vie, avec un courage sans égal, ils pénétrèrent plus profondément à l'intérieur du pays.

Les premiers religieux qui arrivèrent au Canada furent les Récollets. Ils débarquèrent en 1615. Ces moines soumis à la règle franciscaine formaient un groupe d'ascètes qui se consacraient à une vie de pauvreté. La règle de leur ordre leur interdisait la possession de tout bien personnel. Mais le travail missionnaire exigeant la mise en oeuvre de moyens matériels, les Récollets eurent du mal à accomplir leur tâche. Ils n'étaient que quatre. Leur supérieur, Le Caron, fut le premier à composer un dictionnaire de la langue indienne, telle que parlée par la tribu des Hurons. Le Caron eut aussi l'honneur d'être le premier prêtre à célébrer le premier mariage chrétien au Canada.

D'autres missionnaires vinrent à leur suite. Ils appartenaient à un ordre plus puissant et beaucoup plus riche: les Jésuites. Les premiers Jésuites arrivèrent au Canada en 1625, et, depuis lors, leur influence n'a cessé d'être immense.

L'ordre des Jésuites fut fondé au 16e siècle par Ignace de Loyola. L'appellation "Jésuite" dérive du nom "La Compagnie de Jésus" sous lequel leur fondateur les rassembla. C'était une association aristocratique. Beaucoup de ses membres auraient facilement pu remplir de hautes

could have occupied high social positions in the life of their country. Instead, they chose to face enormous difficulties. Living together with the Indians, they went hungry, endured squalor and cold, and were constantly exposed to the dangers of death and torture.

The first group which landed in Canada in 1625 consisted of five Jesuits. Best known in this group is Father Jean de Breboeuf. Father Breboeuf worked among the Indians for twenty-five years. He translated the New Testament into the Indian language. He wandered with the Indians from place to place, sharing all their hardships. Missionary work among the Indians was not easy. They did not understand Christianity, and whenever a calamity befell their tribe they accused the missionaries of practicing black magic. Father Breboeuf died a martyr. After being captured by a hostile tribe of Indians, he was tortured and then burnt alive.

The Jesuits' detailed descriptions of Indian life, the nature of the land, and so on, appeared in a Parisian publication called "Relations" and helped arouse French interest in the new land. This was one of their contributions to the development of Canada.

The first priests in Canada were truly soldiers of God: Parkman, the Canadian historian, likens their qualities to gold and diamonds in a setting of baser metals. Their work was carried on for the glory of God.

fonctions dans la vie sociale de leur pays, mais ils avaient choisi le chemin le plus dur. Vivant avec les Indiens, ils étaient en proie à la faim, enduraient la pauvreté, la misère et le froid, tout en étant, chaque jour, exposés aux dangers de la torture et de la mort.

Le premier groupe qui arriva au Canada en 1625 se composait de cinq Jésuites, dont le plus connu est le Père Jean de Brébeuf. Il accomplit sa mission parmi les Indiens durant vingt-cinq ans et traduisit le Nouveau Testament en langue indienne. Il suivait les autochtones dans toutes leurs migrations et partageait leurs difficultés. Ce n'était pas une tâche facile. Les Indiens ne comprenaient pas le christianisme et, dès qu'une calamité s'abattait sur la tribu, ils accusaient les missionnaires de magie noire. Le Père de Brébeuf mourut en martyr. Après avoir été capturé par une tribu ennemie, il subit les pires tortures avant d'être brûlé vif.

L'une des contributions des Jésuites fut leur description détaillée de la vie des Indiens, de leurs coutumes, de la nature du pays, etc. Ces descriptions parurent dans une publication parisienne appelée "Relations" et stimulèrent l'intérêt de la France envers le Canada.

Les premiers prêtres du Canada furent de vrais soldats de Dieu. L'historien canadien, Parkman, compare leurs qualités à de l'or et à des diamants qu'on aurait sertis dans une monture de métal brut. Leur travail missionnaire fut dédié à la gloire de Dieu.

THE BIRTH OF MONTREAL

WHOEVER visits Montreal is bound to notice the large cross on the top of Mount Royal. Looking down from the mountain, one is impressed by the sight of hundreds of church spires scattered throughout the city. All this is a reminder that Montreal's birth was closely connected with the Catholic faith, and that the city was founded upon deeply religious, Catholic traditions.

About the middle of the 17th century, there lived in Paris a priest of noble birth, whose name was Jean Jacques Olier. He resided at the court of the King of France and took an active part in the life of the Court. One day he decided to give up his high position and dedicate himself to spiritual matters and good deeds. He was an avid reader of the "Relations" which contained descriptions of a beautiful, new country, inhabited by strange uncivilized Indian tribes. Jean Jacques Olier read the stories and decided to found an order of missionaries who would go to Canada and help bring Christianity to its natives.

With this in mind, Olier obtained the help of a wealthy Frenchman to found a Catholic colony on what is now the Island of Montreal. Many people became interested in this project and within a short time donations began to arrive from various sources. A religious group, known as "The Company of Notre Dame of Montreal" was formed. Among them was the rich Countess de Bullion, and the young Jeanne Mance whose names have been given to streets and numerous landmarks throughout French Canada.

On May 18th, 1642, 53 men and 2 women sailed from France to the Island of Montreal. When they set foot ashore, they chanted prayers, offered thanks to God, and sang the "Te Deum". The place was named Ville Marie. Thus the City of Montreal was born.

The group met with many difficulties, being numerically small, and far away from other Canadian settlements. At that time the entire French colony consisted of about 300 people, most of whom lived in and around the City of Quebec. The governor of Quebec wanted the French inhabitants to stay close together so that they might best be able to protect themselves against the Indians and carry on their religious work. He advised Sieur de Maisonneuve, the leader of the Montreal group, that it was unsafe for such a small settlement to remain isolated and suggested that they come to Quebec where they could continue their missionary work. The governor emphasized the dangers around the small vulnerable settlement, but Sieur de Maisonneuve courageously replied: "It is my duty, Monsieur, to found the new settlement. I would stay even if every tree on the island were to change into a living Indian."

The tiny group of brave settlers remained on the Island of Montreal

LA NAISSANCE DE MONTREAL

TOUS ceux qui visitent Montréal remarquent la grande croix dressée au sommet du Mont-Royal. Si l'on regarde la ville du haut de la montagne, on est impressionné par les centaines de clochers qu'on y voit. Ceci nous rappelle que la naissance de Montréal a eu un lien étroit avec la foi catholique et que la ville fut fondée dans un esprit profondément religieux.

Vers le milieu du 17e siècle, vivait à Paris, un prêtre de l'aristocratie, Jean-Jacques Olier. Il résidait à la cour du roi de France et y prenait une part active. Un jour, il décida de renoncer à ce genre d'existence et de se consacrer à la vie spirituelle et aux bonnes oeuvres. C'était un lecteur des "Relations" où les Jésuites décrivaient la beauté du Canada et ses étranges tribus d'Indiens sauvages. Ces histoires intéressèrent Jean-Jacques Olier et il prit le parti de fonder un ordre missionnaire dont les membres iraient au Canada pour y convertir les indigènes.

Ce projet en tête, Olier obtint l'aide d'un riche notable français en vue de fonder une colonie catholique à l'endroit où se trouve actuellement l'île de Montréal. Plusieurs personnes approuvèrent ce projet et, en peu de temps, des dons provenant de diverses sources furent rassemblés. Un groupement religieux, "La compagnie de Notre-Dame de Montréal", fut formé. On y trouvait la riche comtesse de Bullion et la jeune Jeanne Mance, dont rues et places publiques ont, depuis, multiplié le nom au Canada français.

Le 18 mai 1642, cinquante-trois hommes et deux femmes s'embarquèrent à destination de l'île de Montréal. Lorsqu'ils mirent le pied sur le nouveau continent, ils psalmodièrent des cantiques et offrirent leurs remerciements à Dieu. Les colons chantèrent le "Te Deum" et ils nommèrent cet endroit "Ville-Marie". Ainsi naquit la ville de Montréal.

Durant la période d'installation, le petit groupe dut faire face à d'innombrables difficultés. Il était restreint et fort éloigné des autres îlots d'habitations au Canada. A cette époque, la colonie française comprenait en tout et pour tout trois cents personnes dont la plupart vivaient à Québec ou aux alentours. Le gouverneur de Québec désirait que les Français du Canada restent ensemble afin de mieux pouvoir se protéger contre les Indiens et continuer leur tâche religieuse. Il informa le Sieur de Maisonneuve, chef du groupe de Montréal, qu'il était dangereux pour une aussi petite colonie de rester isolée et lui suggéra de venir à Québec, où ils pourraient tous poursuivre leur travail missionnaire. Le gouverneur insista sur les dangers qui entouraient le petit établissement, mais Maisonneuve répondit courageusement qu'il considérait de son honneur d'y demeurer "même si tous les arbres de l'île devraient se changer en Iroquois".

Le petit groupe de braves colons demeura donc dans l'île de Montréal et continua, dans des conditions difficiles, de lutter pour son existence. Sous la direction de Maisonneuve, ils protégèrent Montréal, ensemencèrent leurs champs et bâtirent des maisons. Ils eurent souvent à combattre les Indiens qui se tenaient à l'affut dans les environs, prêts à

and continued the difficult struggle for existence. Under Maisonneuve's leadership, the colonists guarded Montreal; planted their fields and built homes. They often had to fight Indians who were lurking nearby, waiting for an opportunity to attack. In order to protect themselves, the French surrounded Montreal with a high wall. But in spite of this many lost their lives in clashes with Indian bands.

Many tales about this period of struggle in the young colony have been handed down to us.

One is about a Canadian hero, Dollard, who was killed at the age of 25, while bravely defending the settlement of Ville Marie against Indian onslaughts. Dollard headed a small group of volunteers who sacrificed their lives for the new colony.

Another tale of early Canadian life is told about a dog, Pilot, who is said to have possessed a special sense which enabled him to detect the scent of lurking Indians. He saved the settlement by warning the colonists of hidden danger.

Montreal was founded as a result of a religious conviction of a devout Catholic group, who wished to bring Christianity to the heathens. In time the city became an important trading point. Today, Montreal is Canada's largest city and commercial centre. It is the sixth largest city in North America and the second largest French city in the world. Montreal is often referred to as "The City of Churches" and also as "The Paris of North America."

saisir toutes les occasions de les attaquer. Afin de se protéger, les Français entourèrent Montréal d'un mur élevé. Malgré cette précaution, plusieurs perdirent la vie dans des échauffourées avec les Indiens.

Il existe quantité d'histoires relatives à cette période mouvementée de l'histoire de Montréal.

L'un de ces récits concerne un héros canadien. Dollard des Ormeaux, qui fut tué à l'âge de 25 ans, en défendant bravement la jeune colonie Ville Marie contre une attaque indienne. Dollard était à la tête d'un petit groupe de volontaires qui donnèrent même leur vie pour sauver la colonie naissante.

Il y a aussi l'histoire d'un chien, surnommé "le Pilote" qui, paraît-il, était doué d'un sens extraordinaire lui permettant de détecter la présence d'Indiens cachés. Il sauva plus d'une fois la vie des colons en les avertissant du danger qui les guettait.

Comme nous l'avons vu, la fondation de Montréal fut l'expression de la conviction d'un groupe de catholiques fervents qui désiraient répandre leur foi religieuse parmi leurs nouveaux frères.

Avec le temps, Montréal devint un important centre de commerce. De nos jours, cette ville est le centre des affaires et la plus grande ville du Canada. Montréal est, en importance, la sixième ville de l'Amérique du Nord et la deuxième ville française au monde. On la surnomme quelquefois "la cité des églises", ou encore "le Paris de l'Amérique du Nord".

THE FIRST CANADIAN NURSE AND THE FIRST CANADIAN TEACHER

HEALTH and education are among life's most important requirements. Without them a community could not continue to exist and develop.

During the period of its early history Canada did not foresee the necessity of making provisions for education and for the care of the sick, facilities it badly needed. In this, as in other fields of Canadian life, pioneers were necessary.

In 1639, a group of four women arrived in Quebec. These women were nuns, who devoted all their time to charitable work. They healed the sick, taught the children, and performed many other tasks for the good of the community. One of the nuns, whose name is widely remembered in Canada to this very day, was Marie de l'Incarnation. No task was too difficult for her. In her letters she related episodes of early Canadian life. These letters are a rich source of information about old Quebec.

A few years later, another group arrived. Among them were Jeanne Mance, known as the first Canadian nurse, and Marguerite Bourgeois, the first Canadian teacher. Jeanne Mance was born in 1606, in a small town in France. She was an intelligent and forthright young woman, who read a great deal and devoted her time to serious works. She was an avid reader of the magazine "Relations", which published articles about the work of the French missionaries in Canada. These accounts gave a clear picture of life in the new land, of its inhabitants, and their living conditions. The publication had a great many readers and stimulated a lively interest in Canada.

Jeanne Mance was enthused about the exploits of the pioneers, the missionaries and the Jesuit fathers, who carried on their missionary work among the Indians.

Through the "Relations", she became acquainted with the colony, its problems and its difficulties. The story is told that she was called by God in a vision to go to Canada and be of help to the sick and needy there. A group that was to found the city of Montreal was preparing at that time to leave for Canada. Jeanne Mance joined these immigrants. In 1642 she and her companions reached the shores of the Island of Montreal.

The first years in the life of the new settlement were very difficult ones. The colony suffered hunger, disease, and was menaced by Indians. Jeanne Mance immediately set to work helping the sick and suffering. She performed her tasks with great devotion. Not only French colonists, but also friendly Indians would come to her for aid.

LA PREMIERE INFIRMIERE ET LA PREMIERE INSTITUTRICE CANADIENNES

LA santé et l'éducation sont deux des exigences les plus importantes de la vie. Sans elles, une collectivité est incapable de se développer, voire d'exister.

Au début de son histoire, le Canada n'avait prévu la nécessité de pourvoir ni à l'éducation ni au soin des malades, bien que le pays en éprouvât un impérieux besoin. En ce domaine, comme en bien d'autres, il fallait trouver des pionniers.

En 1639, un groupe de quatre femmes arriva à Québec. Ces femmes étaient des religieuses qui donnèrent tout leur temps à des oeuvres charitables. Elle soignèrent les malades, instruisirent les enfants et remplirent aussi bien d'autres fonctions communautaires. Parmi ces religieuses, s'en trouvait une dont le nom est demeuré dans l'histoire: Marie de l'Incarnation. C'était une femme à qui le travail ne faisait pas peur. Connue pour son dévouement et sa sincérité, elle possédait aussi un talent d'écrivain et elle relata des épisodes de la vie canadienne de cette époque. Ses lettres fournissent de nombreux renseignements sur l'histoire du vieux Québec.

Quelques années plus tard, un autre groupe d'immigrants arriva. Parmi eux, se trouvait Jeanne Mance, qui passe pour avoir été la première infirmière canadienne, ainsi que Marguerite Bourgeois, la première institutrice canadienne. Jeanne Mance était née en 1606 dans une petite ville de France. C'était une jeune femme intelligente et décidée, qui lisait beaucoup et s'adonnait à des travaux sérieux. Elle était une lectrice assidue de la revue "Relations" qui publiait des articles sur l'oeuvre des missionnaires français au Canada. Ces comptes-rendus donnaient une image précise du nouveau pays, de ses habitants et de leurs conditions d'existence. Cette revue avait de nombreux lecteurs et stimula une vive curiosité pour les choses canadiennes.

Jeanne Mance s'était enthousiasmée au récit des exploits des pionniers, des missionnaires et des pères jésuites qui poursuivaient leur œuvre d'apostolat au milieu des indigènes.

Grâce à "Relations", elle s'était mise au fait des problèmes et des difficultés de la colonie. La tradition veut qu'elle eut une vision, que Dieu l'appela et lui confia la mission d'aller au Canada soigner les malades et les indigents. Un groupe, qui devait plus tard fonder Montréal, se préparait à partir pour la Nouvelle-France. Jeanne Mance se joignit aux émigrants, et en 1642, elle arrivait à l'île de Montréal avec ses compagnons.

Les premières années de leur établissement furent très dures. La faim, les maladies, les Indiens les menaçaient. Jeanne Mance se mit immédiatement en devoir de porter secours aux malades et aux déshérités.

She soon established a small hospital. Her tireless efforts and dedication were gratefully appreciated by the settlers. They called her an angel, "God's gift to the colony." The small hospital which she founded was appropriately named Hotel de Dieu, the House of God.

Little by little the hospital's service expanded. In time new buildings were added to it and the first organized hospital in Canada came into being. L'Hotel de Dieu is today one of the largest hospitals in Canada. A statue depicting Jeanne Mance attending a patient stands at the hospital entrance. It commemorates its founder and her glorious contribution to our country.

Margaret Bourgeois came to Canada in 1651, nine years after the arrival of Jeanne Mance. She had been a teacher in France, and, like many, became interested in Canada. When Sieur de Maisonneuve suggested that she come to New France as its first teacher, she accepted the invitation.

Upon her arrival, Margaret Bourgeois established a small school where she taught the children of the settlers. In the mission house, at the foot of Mount Royal, she also gave religious instruction to Indian children. Thus, the first school in Canada was established, on the site where there stand today the large buildings of the College of Montreal.

For fifty years Margaret Bourgeois devoted all her time and energy to the schooling of children. She died at the age of eighty, loyal and dedicated, full of feminine tenderness and sympathy.

Jeanne Mance and Margaret Bourgeois are the names of two courageous and noble women, whose work and sacrifices nursed the young colony. They will never be forgotten by the Canadian people.

Elle s'acquitta de cette tâche avec dévouement et non seulement les colons français, mais même les indigènes amis venaient à elle pour obtenir de l'aide.

Elle installa bientôt un petit hôpital. Tout le monde appréciait ses efforts inlassables et son aide précieuse. On la surnomma "L'Ange", don de Dieu à la colonie. Le petit hôpital que Jeanne Mance fonda fut justement appelé "Hôtel-Dieu", la maison de Dieu.

Petit à petit, les services de l'Hôtel-Dieu se développèrent. Avec le temps, de nouveaux bâtiments furent construits, pour donner naissance au premier hôpital du Canada. De nos jours, l'Hôtel-Dieu est l'un des plus grands hôpitaux de Montréal. Une statue de Jeanne Mance, la montrant en train de soigner un malade, se dresse à l'entrée, commémorant son nom et sa glorieuse contribution à l'histoire de notre pays.

En 1651, 9 ans après la venue de Jeanne Mance au Canada, Marguerite Bourgeois vint à son tour. Elle avait été institutrice en France et, comme beaucoup d'autres, s'intéressait au Canada. Lorsque le Sieur de Maisonneuve lui suggéra d'aller en Nouvelle France et d'y devenir la première institutrice de la colonie, elle accepta.

Dès son arrivée, Marguerite Bourgeois aménagea une petite école pour les enfants des colons. Dans l'immeuble de la mission, situé au pied du Mont-Royal, elle enseigna aussi la religion aux enfants indiens. Ainsi fut créée la première école du Canada, sise à l'endroit où se dressent actuellement les imposants bâtiments du Collège de Montréal.

Cinquante années durant, inlassablement, Marguerite Bourgeois donna son temps et son énergie à l'éducation des enfants. Elle mourut à l'âge de quatre-vingts ans, fidèle à elle-même et aux autres, à la tendresse féminine et à la sympathie qu'elle leur avait prodiguées.

Jeanne Mance, Marguerite Bourgeois: ces deux noms évoquent le courage et la noblesse de deux femmes dont le travail aida à soutenir la jeune colonie. Le peuple canadien ne les oubliera jamais.

THE WARS WITH THE INDIANS

ONE of the serious threats to the continued existence of the young settlement in Canada was the danger of Indian attacks. Canada was inhabited by several Indian tribes, of whom the best known were the Hurons and the Iroquois.

When the first missionaries arrived in Canada, they began to teach Christian doctrines to the Indians, and made great efforts to convert them to Catholicism. This was a very difficult task. The missionaries had to surmount many difficulties. They suffered physical hardships, torture, and many of them sacrificed their lives in the course of their duties.

The Hurons proved to be more receptive to Christian teachings than the other Indian tribes, and many of them lived in more or less permanent settlements. This enabled the missionaries to build small churches in their midst, and the task of bringing Christianity to the Hurons was therefore easier and more successful.

The Iroquois were among the most warlike of the Indian tribes. They inhabited the southern part of Canada, in the vicinity of Lake Champlain. For many years they waged war against the Hurons, as well as against other Indian tribes. When the French began to settle in Canada, Indian tribal warfare grew in intensity.

Champlain, the Father of French Canada, learned upon his arrival, about the wars that raged among the Indian tribes. Without fully understanding the political causes that had brought about these wars, he allied himself with the Hurons, since they were the closest neighbours of the newly founded French settlements, and appeared to be more hospitable. He also believed the Hurons to be stronger and more numerous than the Iroquois. When he was approached by the Hurons for help in their fight against the Iroquois, he readily agreed to join them. In fact, he wished to impress his new allies and to prove his friendship to them.

The Hurons and the Iroquois met on the shores of Lake Champlain on a beautiful summer morning. The Iroquois had begun their march fully equipped to meet the enemy. They approached the Huron camp and the two hostile tribes faced each other, ready for battle. Suddenly there emerged from the ranks of the Hurons a warrior, dressed in shining armour. He stopped, placed a rod against his shoulder, and, before the Iroquois knew what was happening, a fiery shot killed their chief. The Iroquois were completely baffled. They had never seen anything so strange. They broke their ranks and fled in panic before the violence of the new mysterious "god".

Samuel de Champlain was the victor, winning the battle almost single-handed. However, this easy victory had many serious conse-

LES GUERRES FRANCO-INDIENNES

LE risque permanent d'attaques indiennes constituait l'une des plus graves menaces à la survivance de la jeune colonie. Plusieurs peuples indiens habitaient le pays dont les Hurons et les Iroquois sont les mieux connus.

Lorsque les premiers missionnaires débarquèrent au Canada, ils prêchèrent l'Evangile aux autochtones et s'efforcèrent de les convertir à la religion catholique. C'était une tâche bien ingrate. Les missionnaires avaient à surmonter d'énormes difficultés morales aussi bien que physiques, le danger de la torture était constant, et plusieurs d'entre eux sacrifièrent leur vie pour les besoins de la cause.

Les membres de la tribu des Hurons se montrèrent plus réceptifs à l'enseignement du christianisme. Ils semblaient moins enclins à la vie nomade que les autres. Certains, vivaient même dans des communautés stables; ce qui permit aux missionnaires de construire de petites églises dans leur propre milieu et rendit leur tâche plus aisée.

Les Iroquois formaient l'un des peuples indiens les plus belliqueux. Ils résidaient dans le sud du Canada, aux environs du Lac Champlain. Durant nombre d'années, ils combattirent les Hurons et les autres tribus et lorsque les colons français s'établirent dans le pays, les guerres tribales devinrent plus implacables.

Dès son arrivée, Champlain, le Père du Canada français, constata l'existence de ces phénomènes guerriers. Il ne comprenait pas très bien les questions politiques qu'impliquaient les relations entre tribus, mais il décida de s'allier aux Hurons, en considération du fait que ceux-ci vivaient dans le voisinage des colons français et semblaient plus accueillants que les Iroquois. Il pensait également que les Hurons étaient plus forts et plus nombreux. Quand ils lui demandèrent de les aider à combattre les Iroquois, Champlain y consentit aisément. Il désirait en effet, impressionner ses nouveaux alliés et leur prouver son amitié.

Par un beau matin d'été, au bord du lac Champlain, les Hurons et les Iroquois s'affrontèrent. Les Iroquois s'étaient mis en mouvement, parés de pied en cap pour le combat. Ils approchaient du camp des Hurons; les deux tribus se livrèrent bataille. Tout à coup, un homme revêtu d'une armure étincellante émergea des rangs de la tribu des Hurons. Il s'arrêta, ajusta un mousquet sur son épaule et, avant que les Iroquois fussent revenus de leur surprise, un coup de feu retentit, tuant leur chef. Les Iroquois en furent complètement médusés, ils n'avaient jamais rien vu d'aussi étrange. La panique s'empara de leurs rangs et ils s'enfuirent loin de la violence de ce "dieu" nouveau et mystérieux.

Samuel de Champlain était vainqueur, il avait gagné la bataille presque à lui tout seul. Cette victoire facile eut cependant de graves conséquences et la jeune colonie française dut en payer chèrement le prix pendant de longues années. Les Iroquois devinrent les ennemis jurés des Français. Ils prirent leur revanche chaque fois que l'occasion s'en présentait, réussissant à massacrer des centaines de colons. A un

quences. The young French settlement paid heavily for having sided with the Hurons. The Iroquois became deadly enemies of the French. They took revenge at every possible opportunity and hundreds of settlers were killed by them. At one time the very existence of the young colony was threatened.

In later years, another factor intensified the hatred between the French and the Iroquois. The French and English fur traders began supplying arms to the Iroquois. In their attacks upon the French, the Iroquois also crippled the French fur trade. The Iroquois were good warriors. They charged like thunder, slaughtered, destroyed, and disappeared. Someone once remarked that it is easier to catch a glimpse of the Devil, than of an Iroquois.

In 1649, the Iroquois attacked the Hurons and almost annihilated them completely. A mere handful managed to escape, but the tribe ceased to exist. The Iroquois also attacked and destroyed other Indian tribes. The small French colony lived in constant terror and was nearly destroyed. In 1660 Montreal was saved by the courage of Dollard and his companions. Mere Marie de L'Incarnation described the situation at that time in the following manner: "Neither we, nor the rest of Canada can continue to exist without help: if the enemy should continue with their victories, we shall be forced either to return to France or perish; neither trade nor work can be carried on."

The French Government understood that, unless the danger of Iroquois attacks was removed, Canada would not develop and grow. It was decided to send to the colony about 1200 troops under the command of Marquis de Tracy. In 1666 a military expedition set out to vanquish the Iroquois. In the battle that ensued the Iroquois were completely routed, and their camps were destroyed.

The story of the wars against the Indians is an interesting, but cruel and tragic chapter in the history of our country. The ones who suffered most as a result of these wars were the Indians themselves. They perished by the thousands in bloody battles. The white man also brought to the new continent "fire water" and disease, which reduced the Indian population even further.

moment donné, l'existence même de toute la colonie fut grandement menacée.

Plus tard, un autre facteur aggrava la haine des Iroquois pour les Français. Les trafiquants de fourrures, anglais et français, fournirent des armes à feu aux Iroquois. Les Iroquois réussirent ainsi à faire beaucoup de tort au commerce français de la fourrure lui-même. Les Iroquois étaient de bons guerriers, ils chargeaient comme le tonnerre, massacraient et détruisaient tout, puis disparaissaient. Quelqu'un dit un jour qu'il est plus facile d'entrevoir le diable qu'un Iroquois.

En 1649, les Iroquois lancèrent contre les Hurons une offensive victorieuse au cours de laquelle ils les exterminèrent presque complètement. Quelques Hurons eurent la vie sauve, mais leur peuple cessa d'exister. Les Iroquois attaquèrent et exterminèrent d'autres peuplades. La petite colonie française vivait dans la terreur de ces attaques fulgurantes, et fut souvent bien près d'être anéantie. En 1660, Montréal fut sauvée de la ruine grâce au courage de Dollard et de ses compagnons. Mère Marie de l'Incarnation écrivit à cette époque: "Ni notre colonie, ni le reste du pays ne pourront continuer de subsister sans aide; si l'ennemi persiste à gagner toutes les batailles, nous serons forcés soit de rentrer en France, soit de périr; ni le travail ni le commerce ne peuvent se poursuivre".

Le gouvernement français se rendit compte que si la menace iroquoise n'était pas immédiatement écartée, le Canada ne pourrait jamais se développer et grandir. Il fut alors décidé d'envoyer 1,200 soldats, sous le commandement du Marquis de Tracy, afin d'aider les coloniaux. En 1666, cette expédition militaire partit avec mission de vaincre les Iroquois. Une bataille eut lieu peu après et les soldats français mirent les Iroquois en déroute et détruisirent leurs camps.

Le récit des guerres contre les Indiens forme un chapitre intéressant mais cruel de l'histoire de la naissance de notre pays. Ceux qui en souffrirent le plus furent les Indiens eux-mêmes. Ces guerres féroces les tuèrent par milliers. Mais l'eau-de-vie et les maladies dont l'homme blanc avait apporté le germe les firent périr en plus grand nombre encore.

DOLLARD

IT was the beginning of spring and although the sun was shining warmly, the air remained quite cool. Huge pieces of ice, struggling in vain against the heat of the sun, could be seen floating over the waters of the mighty St. Lawrence.

Several small boats appeared on the horizon. There were seventeen people aboard. They were rowing with all their might against the swift spring current. They were rowing towards their death, and knew it, but this did not deter them. They were brave men, determined to go on. This decision was taken of their own free will, knowing that their death would mean saving hundreds of human lives.

Who were these brave men, and where were they going?

Where the City of Montreal is now situated, there once stood a small village, which was called Ville Marie. The village was founded in 1642, and consisted of a few wooden buildings, surrounded by a strong, high fence. Its inhabitants were few. It was protected by fortifications and cannons whose mouths gaped through special openings of the fence. The inhabitants of Ville Marie were in constant fear for their lives. These fears were well founded, for constant danger hovered over them. They did not dare leave the fortifications, except in armed groups because of the danger of being attacked by the tomahawk carrying Indians who were lurking in their vicinity. The savage cries of the Iroquois, which could be heard from time to time, filled even the bravest of the settlers with deep horror.

The crisis occurred in 1660, eighteen years after the founding of Montreal. The Iroquois decided to annihilate both the Hurons and the French and prepared for an all out war. As soon as the ice began to break up, they left their camps in light, swift canoes to launch their long-planned attacks. Their first objective was Ville Marie. These plans might have succeeded, had the inhabitants of Ville Marie not been told about them by a captured Iroquois. The settlers realized that they were in grave danger. Something had to be done immediately to prevent a catastrophe.

One of the colony's young officers, Adam Dollac, Sieur des Ormeaux, also known as Dollard, fully understood the peril that menaced Ville Marie. He knew full well that if Ville Marie were to be destroyed, the entire small group of French settlers in Canada would be in great danger. He therefore decided to save the colony, come what may, and issued a call for volunteers. Sixteen young men answered his call. Dollard was determined to prevent the enemy from reaching the town. The Indians had to be encountered, engaged in battle and defeated be-

DOLLARD

EN ce début de printemps et bien que le soleil rechauffât la terre de ses rayons bienfaisants, l'air était encore frais. L'eau du majestueux Saint-Laurent était couverte d'épais glaçons qui tentaient vainement de résister à l'action du soleil.

Plusieurs petites embarcations apparurent à l'horizon. Dix-sept hommes étaient à bord. Ils ramaient de toutes leurs forces contre le rapide courant printanier. Ils ramaient vers la mort et le savaient, mais l'appréhension de leur sort ne les arrêtait pas. Ils étaient braves et déterminés à aller de l'avant. Ils avaient pris cette décision de leur propre gré. Ils savaient aussi que leur mort sauverait des centaines de vies humaines.

Qui étaient donc ces braves et où allaient-ils?

A l'endroit où se trouve aujourd'hui Montréal, il n'y avait jadis qu'un petit village du nom de Ville-Marie. Ville-Marie fut fondée en 1642. Elle ne groupait que quelques maisons de bois, entourées d'une haute et solide palissade, et comptait peu d'habitants. Des fortifications imposantes, aux meurtrières desquelles s'ouvrait la bouche de canons, la protégeaient. Les habitants de Ville-Marie s'inquiétaient de leur sécurité. Cette crainte était fondée, car le danger les guettait en permanence. Ils n'osèrent pas sortir de leurs fortifications, sauf en groupes armés, de peur d'être attaqués à coups de tomahawk par les Indiens embusqués non loin de là. Les cris sauvages des Iroquois, qu'on pouvait entendre de temps en temps, glaçaient d'effroi même les plus courageux.

La crise survint en 1660, dix-huit ans après la fondation de Montréal. Les Iroquois décidèrent d'annihiler les Français aussi bien que les Hurons, et se préparèrent à une guerre sans merci. Dès la fonte des glaces, ils quittèrent leurs campements et partirent dans leurs canots rapides pour déclencher une offensive ourdie de longue date. Leur premier objectif était Ville-Marie. Leurs plans auraient peut-être réussi si un indigène fait prisonnier par les Français n'avait pas éventé la mèche. Les colons comprirent la gravité du danger. Il fallait immédiatement faire quelque chose, si l'on voulait éviter une catastrophe.

L'un des jeunes officiers de la colonie, Adam Dollac, Sieur des Ormeaux, également connu sous le nom de Dollard, mesura l'ampleur du péril qui allait cerner Ville-Marie. Il savait fort bien que si Ville-Marie était détruite, le petit groupe de colons français demeurant encore au Canada serait tout entier menacé. Il prit alors la décision de sauver la colonie, coûte que coûte, et demanda des volontaires. Seize jeunes gens répondirent à son appel. L'objectif de Dollard était d'empêcher l'ennemi d'atteindre le village. Il fallait se porter à la rencontre des Indiens pour livrer la bataille le plus loin possible de la colonie. Quelques Hurons se joignirent à eux.

Les défenseurs de Montréal s'arrêtèrent près des rapides du Long Sault. L'installation qu'ils y trouvèrent était entourée d'une palissade qui servait de protection contre les indigènes. C'était une position straté-

fore they reached Ville Marie. Some Huron Indians also joined the groups of French volunteers.

The defenders of Montreal stopped near the Long Sault Rapids. There they found a place which was surrounded by a palisade. It was a strategic position, where the small group prepared for battle against the Indians who were close at hand.

It was not long before the Iroquois appeared, and the battle began. Dollard stationed some of his men on the bank of the river, with orders that they open fire as soon as the Indians came in sight. None of them was to be allowed to escape. A few of them, however, did succeed in escaping and reported the incident to their tribesmen. Before long Iroquois reinforcements arrived. Hundreds of Indians began attacking the poorly protected position of the French.

The battle raged day and night. Many Indians were killed by French bullets. However, the brave beseiged French defenders were overcome by fatigue and exhaustion. A few of the volunteers were wounded and lay feverish on the battleground. The Iroquois continued to receive reinforcements. They threatened the Huron Indians who fought on the side of the colonists, demanding that they abandon the French. Those who would not obey were threatened with terrible tortures.

The Hurons realized that Dollard and his men were lost. On the fifth day of the battle thirty of them deserted to the Iroquois. Only five Hurons remained with Dollard. The exhausted defenders knew that the end was near. Shortly after the Hurons deserted Dollard, the Iroquois brought in new reinforcements. They came dangerously close to the palisade which separated them from the French defenders. Dollard attempted to repulse this onslaught by throwing a primitively made bomb at the advancing Indians. Unluckily, the bomb rebounded from the top of the blockade and exploded among the French. The Iroquois took advantage of the opportunity thus created, jumped over the palisade and massacred Dollard and his companions.

The sacrifice of Dollard and his men was not in vain because never again did the Indians attack Montreal. They felt that if a handful of men could hold them back for such a long time, an attack on Montreal would be sure to fail.

The seventeen brave men, who, through their heroic death, saved Montreal, will forever be remembered in the history of Canada. There is a plaque in the Montreal Cathedral of Notre Dame, on which their names, ages and occupations are inscribed. During the three centuries since their death, the memory of Dollard and his friends has been honoured and revered.

gique. Le petit groupe se prépara au combat et attendit de pied ferme les assaillants qui ne devaient plus être bien loin.

Les Iroquois ne se firent pas attendre longtemps. La bataille commença. Dollard avait posté quelques-uns de ses hommes à l'affût près du fleuve. Ils avaient ordre de tirer aussitôt qu'ils verraient l'ennemi. Aucun Indien de l'avant-garde ne devait pouvoir s'échapper. Mais, quelques Iroquois réussirent à se tirer de ce mauvais pas et allèrent rendre compte de l'incident à leurs compatriotes. Peu après, les Iroquois envoyèrent des renforts. Ce fut par centaines qu'ils attaquèrent la position peu fortifiée des Français.

Sans relâche, jour et nuit, la bataille fit rage. Les balles françaises tuèrent un grand nombre d'Indiens. Mais les valeureux émissaires des colons étaient à bout de force. La fatigue, les luttes constantes, la disette les accablaient. Plusieurs de leurs compagnons, blessés, gisaient fiévreux sur le sol. Les Iroquois continuaient de recevoir des renforts. Ils s'en prirent aux Hurons qui combattaient aux côtés des colons. Ils les menacèrent des pires tortures s'ils n'abandonnaient pas les Français.

Les Hurons se rendirent compte que Dollard et ses hommes étaient perdus. Au cinquième jour de la bataille, trente Hurons passèrent aux Iroquois. Seulement cinq restèrent aux côtés de Dollard. Les assiégés, à bout de fatigue, surent que la fin était proche. Peu après la désertion des Hurons, les Iroquois lancèrent des troupes fraîches dans la bataille. Ils s'approchaient dangereusement de la palissade qui, seule, les séparait encore des colons. Dollard tenta alors de les éloigner en lançant au milieu d'eux une bombe, hâtivement fabriquée. Mais, pour comble de malheur, la bombe, rebondissant du haut de la palissade, éclata, non pas du côté des Iroquois, mais au milieu des Français. Profitant de cette occasion, les Iroquois escaladèrent la palissade et massacrèrent Dollard et tous ses compagnons.

Le sacrifice de Dollard et de ses amis ne fut pas inutile, car les Indiens n'attaquèrent plus jamais Montréal. Ils jugèrent que si quelques hommes avaient pu paralyser aussi longtemps leur avance, l'attaque de Montréal entraînerait leur complète défaite.

Les dix-sept héros qui, par leur mort courageuse, sauvèrent Montréal, sont passés à la postérité. En l'église Notre-Dame de Montréal, leurs noms se trouvent gravés sur une plaque commémorative avec leur âge et leur métier. Trois siècles se sont écoulés depuis leur mort et le nom de Dollard et de ses amis est toujours honoré et respecté.

WHEN CANADA WAS A "CROWN COLONY"

UP to 1663 the development of Canada was weak and without much promise. Although Canada belonged to France, the French Government was not greatly interested in the colony's growth. The population of Canada consisted of approximately 3,000 souls, a very insignificant number, considering the vastness of the land and the fact that it had been under French rule for over half a century.

Canada was a monopoly of private trading companies. The French Government "rented" its colony to a trading company, and, in return, received a share of the company's profits. According to one of the clauses of the agreement, the company was obligated to bring annually into Canada a certain number of colonists from France, and help their resettlement.

The company was not interested in colonization. Its chief concern was the fur trade, and there was danger that colonists might prove to be more of a hindrance than a help, in this respect. Thus, the traders not only failed to help settle the country, but actually discouraged colonization. This was the main reason for Canada's meager growth; the continuous wars with the Indians were another factor that retarded the development of Canada. Had it not been for a change in French colonial policy, New France might have vanished as a colony.

France, at that time, was governed by one of its famous kings, Louis XIV, who reigned for half a century. He was an ambitious monarch during whose lifetime France became the glittering fashion centre of the world.

It was the time of keen competition among world powers for riches and for the conquest of new lands. Britain also became preoccupied with North America. Numerous English colonies were established throughout the length of the North Atlantic shores, where they gained control of the fur trade, and became a real danger to the French colony of Canada.

The English threat, as well as the search for treasures and further power prompted France to take greater interest in Canada. One of the king's young and energetic ministers was Jean Colbert. A great French patriot, he firmly believed in his country's future, and wished to see France become a great Empire.

Jean Colbert attributed great importance to the colonies for the following two reasons: first of all they could supply France with many raw materials that it required in the development of French industry, and, once thickly populated, could also become profitable markets for France's finished products. Jean Colbert drew up ambitious projects. He planned the creation of a French Empire through the development

QUAND LE CANADA FUT UNE COLONIE DE LA COURONNE

JUSQU'EN 1663, l'essor du Canada fut lent et sans beaucoup d'espoir. Bien que le Canada fût une colonie de la France, son expansion n'intéressait pas particulièrement le gouvernement de ce pays. C'est ainsi que la population totale n'était encore que de 3,000 habitants — chiffre vraiment dérisoire si l'on songe que la colonie était alors vieille de plus d'un demi-siècle et si l'on pense à l'étendue du territoire.

A cette époque, le Canada demeurait le monopole de compagnies marchandes. Le gouvernement français louait l'exploitation du territoire à une société privée et, en échange, en tirait sa part de profits. Une clause du contrat stipulait l'obligation pour la compagnie de faire venir et d'installer, chaque année, un certain nombre de colons français.

Toutefois, les compagnies ne s'intéressaient pas à la colonisation. La traite des fourrures les préoccupait davantage et elles craignaient qu'à cet égard les pionniers ne fissent plus de tort que de bien. C'est pourquoi, elles manquèrent non seulement à leur devoir, mais, de fait, défavorisèrent la colonisation. Ce fut l'un des motifs du retard de l'essor du Canada, qui s'explique également par l'effervescence continuelle des guerres contre les Indiens. Si la politique coloniale de la France ne s'était pas modifiée, la Nouvelle-France eût fort bien pu cesser d'exister.

La France était alors gouvernée par l'un de ses plus grands rois, Louis XIV, dont le règne devait durer un demi-siècle. Sous l'autorité de ce monarque ambitieux, le royaume devint un centre rayonnant de beauté, le foyer du monde.

La rivalité des grandes puissances, engagées dans une véritable course au trésor et dans une lutte pour la conquête de nouveaux territoires, fut caractéristique de cette période. L'Angleterre s'intéressait à l'Amérique du Nord. Tout le long du littoral de l'Atlantique Nord, la Grande-Bretagne possédait de nombreuses colonies, contrôlait la traite des fourrures et menaçait la colonie française.

La menace britannique et le désir de puissance et de richesse incitèrent la France à s'intéresser plus activement au Canada. Le roi avait un ministre jeune et énergique, Jean Colbert. Ce grand patriote français croyait fermement en l'avenir de la France. Il voulait doter son pays d'un vaste empire.

Jean Colbert considérait les colonies comme un enjeu décisif. Cela pour deux raisons. Premièrement, elles avaient de quoi fournir les matières premières nécessaires au développement de l'industrie française. En second lieu, celles dont la population était nombreuse pouvaient devenir un débouché avantageux pour les produits finis du marché français. Le ministre nourrissait des projets ambitieux. Son plan était de bâtir un empire par l'expansion du commerce français. Il voulait submerger le monde d'établissements commerciaux dont l'activité pourrait conduire à l'hégémonie politique de la France.

A cet égard, l'un des premiers actes de Colbert fut de renforcer la

of French commerce. His wish was to surround the world with French commercial bases, which eventually would bring about French political hegemony over the entire world.

One of Colbert's first moves towards achieving this aim was the reinforcement of Canada. The colony was therefore emancipated from private ownership, and in 1663 became a crown colony, under the administration of royal functionaries. From 1663 to 1759 the colony was governed by officials sent over from France.

Three chief functionaries were entrusted with the colony's administrative tasks: the Governor, who was its political head; the Intendant, or Economic Administrator, who was in charge of commercial and agricultural affairs; and a Catholic bishop who was at the head of the country's religious life. These three functionaries formed a council, with authority over the entire land. The relationship between these officials and the attitude towards their duties makes one of the most interesting chapters in Canadian history.

The feverish work of strengthening Canada was begun. Agents were sent throughout France to recruit colonists for Canada. They were promised free transportation, farms and other help.

At first only young men were selected, but shortly afterwards girls were sent to the colony as well, so that the colonists might marry and raise families in their new homeland. The French Government also sent soldiers to fight the Indian danger. A great many of the soldiers were invited to remain in Canada. They were wooed with free and large grants of land and other privileges. Many Quebec communities, Sorel, Chambly, Vercheres, among others, bear the names of these soldier-pioneers.

The colony and its population began to grow and gather strength. The Government encouraged marriages by giving special grants of land to newly married couples, and by penalizing bachelors. Families with numerous children were especially favoured. At the same time France supplied the colony with the necessary equipment for its industrial and agricultural development. Within ten years Canada had a population of 10,000.

The stream of immigration to Canada did not last very long. The King of France, fearing that too many of his subjects who were fit for military duty would leave France, withdrew his support. Although further immigration had been curtailed, Canada's development continued nonetheless under its own impetus.

position du Canada. Il le libéra de la tutelle des compagnies marchandes et en fit, en 1663, une colonie de la couronne placée sous l'administration de fonctionnaires royaux. De 1663 à 1756, le Canada allait être gouverné par des représentants officiels de la France.

Trois principaux fonctionnaires se partageaient le pouvoir. Un gouverneur avait en mains les affaires politiques. Un intendant, administrateur de l'économie, régissait le commerce et l'agriculture. Un évêque catholique dirigeait la vie religieuse du pays. Ces trois fonctionnaires formaient un conseil dont l'autorité s'exerçait sur l'ensemble du territoire. L'histoire de leur collaboration et de leur oeuvre constitue l'un des chapitres les plus intéressants de l'histoire du Canada.

L'importante tâche du raffermissement de l'organisation du Canada était commencée. Des agents royaux se mirent à sillonner la France pour y recruter de futurs colons. Ils promettaient des terres, la gratuité du transport et bien d'autres avantages.

Au début, seuls les jeunes gens s'expatrièrent. Mais bientôt des jeunes filles suivirent également. De la sorte, les colons pourraient se marier et fonder une famille dans leur nouvelle patrie. Le gouvernement français dépêcha, en outre, des soldats chargés de les protéger du péril indien. Nombre de ces soldats furent invités à rester au Canada. Ils se virent offrir gratuitement de vastes terrains et eurent droit à maints autres privilèges. Le nom de ces pionniers est devenu celui de localités telles que Sorel, Chambly, Verchères, etc.

Le pays devint plus puissant et sa population augmenta sensiblement. Le gouvernement infligea une amende aux célibataires qui ne se mariaient pas. Il institua une dot royale à l'intention des nouveaux couples. Les familles nombreuses reçurent en outre des gratifications spéciales. Les outils et machines nécessaires au développement de la colonie furent importés de France. En dix ans, la population canadienne s'éleva à dix mille habitants.

Il faut dire que l'afflux d'immigrants ne dura pas longtemps. Le roi craignit que trop de Français ne partent au Canada et que la métropole ne soit à court de soldats. Mais, bien que l'effort de peuplement fût presque totalement suspendu, la vitesse acquise permit à la colonie de continuer à se développer.

COUREURS DES BOIS

AMONG the most romantic figures of New France were the adventurers known in Canadian history as "Coureurs des Bois."

When Canada was young the main interest in the new colony was due to the vast wealth of furs which it possessed. The fur trade was carried on with the Indians who hunted animals and exchanged precious pelts for trinkets, given to them by the Europeans. The white men's profits were immense, since the Indians did not know the true value of their furs. Money did not impress them as did the glass toys, coloured materials, beads, and similar shining ornaments that excited their imagination.

The Canadian fur trade was controlled by groups of merchants who had obtained monopolies to carry on their business from the Government of France. It is not difficult to understand why these merchants jealously guarded their monopoly rights.

As the colony developed and its population increased, a new type of adventurer-trader known as "Coureur des Bois" appeared. The "Coureurs des Bois" were young Frenchmen, fond of the free out-door life, who wanted to share in the profits of the fur trade. The new land, rich in forests, rivers and natural beauty spots attracted these young adventurers. The Coureurs des Bois loved their freedom and eagerly responded to the "call of the wild".

There were two types of fur traders in Canada — the Voyageurs and the Coureurs des Bois. The Voyageurs traded with the Indians only after they had obtained permission to do so from the Chartered Companies. After purchasing their furs, they would bring them to Montreal and sell them to fur merchants. The "Coureurs des Bois", on the other hand, had no official licence to trade in furs. Their illegal transactions with the Indians classed them as transgressors, and they were punished, when caught.

Many "Coureurs des Bois" adopted Indian ways, and some married Indian women. Theirs was a free life with few restrictions, regulations, or rules. Once or twice a year the "Coureurs des Bois" would bring their furs to Montreal for sale. Wild celebrations took place during these visits. Many drank and gambled away their earnings and returned to the woods. This free life attracted many young men of the colony. Many of them left their homes for the carefree existence of the "Coureurs des Bois."

The authorities, church and government, sought to control the actions of the "Coureurs des Bois" by severely punishing them. This, however, did not prevent many a youth from embarking upon a life of adventure in the Canadian wilds. The Coureurs des Bois were fond of

LES COUREURS DES BOIS

PARMI les personnages légendaires de la Nouvelle-France figurent des aventuriers que l'histoire du Canada désigne sous le nom de "coureurs des bois".

Le principal attrait du Canada, à l'époque de ses débuts, était son extraordinaire richesse en fourrures. La traite des fourrures se faisait avec les Indiens qui allaient à la chasse et échangeaient les peaux précieuses contre de la verrotterie et de la pacotille que leur donnaient les européens. Les Indiens ne connaissant pas la valeur réelle de leurs fourrures, le profit que réalisaient les Blancs était énorme. L'argent impressionnait moins les autochtones que les jouets de verre, les étoffes colorées, les perles séduisantes, les articles étincelants qui excitaient leur imagination.

Des associations de marchands, auxquelles le gouvernement français avait octroyé un monopole à cette fin, contrôlaient la traite des fourrures. Il est facile de comprendre que ces marchands tenaient à leurs droits comme à la prunelle de leurs yeux.

Le pays se développant et la population augmentant, un nouveau type d'homme apparut: le marchand-aventurier. Les hommes de cette espèce furent surnommés "les coureurs des bois". C'étaient de jeunes Français qui aimaient la vie libre au grand air et désiraient tirer bénéfice, eux aussi, de la traite des fourrures. La colonie, riche de ses forêts, de ses fleuves, de ses beautés naturelles, attirait ces jeunes aventuriers. Friands de liberté, les "coureurs des bois" répondirent avec enthousiasme à l'appel de la vie sauvage.

Il y avait deux sortes de traitants: les "voyageurs" et "les coureurs des bois". Les voyageurs ne commerçaient avec les Indiens qu'après en avoir obtenu la permission des compagnies à monopole. Une fois acheté ils apportaient leur contingent de peaux à Montréal où ils le vendaient à des marchands. Quant aux coureurs des bois, ils n'avaient pas de permis officiel pour trafiquer avec les Indiens. Leur activité illégale les désignait donc comme des contrebandiers et ils étaient châtiés comme tels s'ils se faisaient prendre.

Plusieurs d'entre eux adoptèrent le genre de vie des autochtones et certains épousèrent des Indiennes. Leur existence était libre, elle s'accompagnait d'un minimum de restrictions, de règlements ou de lois. Une ou deux fois par an, ils apportaient leurs fourrures à Montréal pour les vendre. De joyeuses festivités s'ensuivaient. On y buvait, on y gaspillait ses économies, puis on retournait dans les bois. Cette liberté attirait de nombreux jeunes gens de la colonie. Il arrivait souvent que ceux-ci échangeassent leur maison contre l'existence insouciante de la forêt.

L'Eglise et le gouvernement s'efforcèrent de contrôler l'activité des coureurs des bois. Sans doute se faisaient-ils durement punir quand on leur mettait la main dessus, mais la perspective du châtiment n'empêchait pas les jeunes gens de suivre, nombreux, l'exemple des hors-la-loi.

brightly coloured clothes, and often displayed their red, yellow and blue costumes while parading before their Indian friends, who had never seen such rich and colourful attire.

Not all the "Coureurs des Bois" were irresponsible. Many of them were very eager to amass great wealth in the fur trade. Others were interested in exploring the country. Travelling to unexplored land they opened new territories for others to follow. They carried news from one settlement to another and were also able to supply valuable information about the terrain that they had crossed. This was of great value to the colonial authorities. One can state without hesitation that Canada owes a great deal to the "Coureurs des Bois" for this service.

One of the most famous "Coureurs des Bois" adventurers was Etienne Brule. For many years he lived among the Indians, and learned their language and customs. Later he was of great help to Champlain, the Father of French Canada, in his explorations of the new land. There are many stories about Etienne Brule's adventures among the Indians, the best known of which tells of his escape from his Iroquois captors.

The Iroquois, a powerful Indian tribe, who fought against the French, captured Brule. They tortured him until he was almost dead. Brule, a devout Catholic, wore a cross over his heart. When an Indian attempted to remove it, Brule shouted angrily: "Do not touch this cross, or you and your whole tribe will die." It was a warm day and a storm was approaching. As soon as he uttered this warning, a flash of lightning pierced the skies and it began to thunder. The Indians were badly frightened. They thought that the storm had been created by Brule's God to avenge his capture. Brule was immediately released and his life was saved.

The "Coureurs des Bois" added a most colourful chapter to the history of Canada. They contributed through their intimate knowledge of the country and its Indian inhabitants a great deal of important information about the new land.

Canada's growth gradually forced the "Coureurs des Bois" to disappear. They left behind memories of a romantic epoch, full of adventures, gay songs and exciting tales.

Ils se faisaient remarquer par un accoutrement spécial. Ils aimaient les couleurs brillantes, le rouge, le jaune, le bleu. Ils arboraient parfois leur costume coloré pour parader devant leurs amis indiens, qui n'avaient jamais vu des vêtements et des teintes aussi somptueuses.

Tous les coureurs des bois n'étaient cependant pas des êtres irresponsables. Certains avaient l'ambition de faire fortune grâce à la traite des fourrures, d'autres s'intéressaient à l'exploration du pays. Leurs voyages ouvrirent de nouveaux territoires à la colonisation. Ils portaient les nouvelles d'une bourgade à l'autre et étaient à même de communiquer des renseignements précieux sur les territoires qu'ils avaient traversés. Ils rendaient ainsi service aux autorités. On peut dire sans hésitation que, pour tout cela, le Canada doit des remerciements aux coureurs des bois.

Etienne Brûlé fut l'un de leurs plus célèbres aventuriers. Il vécut de nombreuses années parmi les Indiens, apprit leur langage et se familiarisa avec leurs coutumes. Plus tard, il fut d'un grand secours à Champlain, au cours des voyages d'exploration du père de la Nouvelle-France. Il existe maints récits de ses exploits chez les Indiens, le plus connu étant l'histoire de son évasion d'un camp d'Iroquois ennemis.

Un jour, les puissants Iroquois qui luttaient contre les Français, capturèrent Brûlé. Il fut torturé presque à en mourir. Brûlé, pieux catholique, portait un crucifix sur la poitrine. Il cria furieux à son bourreau: "Si tu touches à cette croix, vous mourrez, toi et toute ta tribu". Il faisait chaud, un orage menaçait. A peine le captif eut-il prononcé ces mots que la foudre éclata. Les Indiens en furent effrayés. Ils crurent que le Dieu de Brûlé avait provoqué l'orage pour venger sa capture. Ils lui laissèrent la vie sauve et le libérèrent.

Les coureurs des bois apportent une note de couleur à l'histoire du Canada. Grâce à une connaissance approfondie du pays et des coutumes indiennes, ils ont fourni des renseignements très utiles sur la colonie.

L'essor de celle-ci entraîna la disparition graduelle de ces aventuriers. Mais ils laissèrent le souvenir d'une époque d'aventures romantiques, de chansons joyeuses et d'histoires folkloriques.

JEAN TALON

IT happens sometimes that a country owes a great deal to one man. Certainly it would be true to say that young Canada was much indebted to its first intendant, Jean Talon.

Jean Talon, a name of renown in French Canada, landed on this continent in 1665, two years after Canada became a Crown Colony.

The King of France, Louis XIV, and particularly his finance minister, Colbert, who was keenly interested in the development of French colonial power, knew that soldiers and priests could not by themselves develop a country. A country's development meant to them the expansion of its industrial, agricultural and commercial enterprises. They therefore appointed an administrator who was to stimulate this economic expansion. The man chosen for this task was Jean Talon.

Jean Talon's official title was Intendant of Justice, Police and Finance. "Intendant" means roughly "supervisor" or manager, and Jean Talon was truly the manager of New France.

Jean Talon had occupied a similar position in France. Coming to Canada and finding its natural resources virtually untapped, stimulated his economic talents. He proved to have great enthusiasm, diligence and vision, and while theoretically his rank was below that of the Governor, he soon assumed undisputed leadership of the colony.

The duties of the Intendant in Jean Talon's time and right up to the advent of British rule, in 1763, were such as to make him the major instrument of the Crown in the colony. These duties were varied and numerous. The Intendant was responsible for the country's regulation of commerce, industry and agriculture. His activities touched all phases of colonial life; he was both Minister of Justice and Canada's supreme judge. He could annul certain cases or take them out of the court roll for judgment, if he considered this to be in the national interest. He was responsible for the collection of taxes, for drawing up health regulations, for building bridges and for the sweeping of chimneys; for the inflow of immigrants and for the observance of the Lord's day. His influence reached every department of the Government, and also affected the day to day life of the population.

A brief description of Jean Talon's activities will give us an idea of an intendant's role and power, and enable us to appreciate more fully Jean Talon's role in Canadian history.

As a good "manager", Jean Talon began his administrative task by "taking stock" of the country. He instituted the first population census in Canada. According to this first census, in the year 1666, the colony had 3215 inhabitants of European descent; 2034 men and 1181 women, among whom there were 5 doctors, 30 tailors, 3 blacksmiths and 3 law-

JEAN TALON

IL arrive parfois qu'un pays doive presque tout à un seul homme. En tout cas, il est vrai de dire que le jeune Canada devait beaucoup à Jean Talon, son premier intendant.

Jean Talon, dont le nom est demeuré célèbre au Canada français, y débarqua en 1665, deux ans après que le Canada fût devenu une colonie de la Couronne.

Louis XIV, roi de France, et principalement son Ministre des Finances, Colbert, que l'essor de la politique coloniale française intéressait de fort près, se rendaient compte qu'on ne bâtissait pas une colonie en y envoyant simplement des soldats et des prêtres. Pour le roi et son ministre, l'essor d'un pays reposait sur l'expansion de l'industrie, du commerce et de l'agriculture. C'est pourquoi ils choisirent un homme capable de stimuler ce développement économique. Cet homme de confiance fut Jean Talon.

Le titre officiel qui lui fut donné fut celui d'intendant de la justice, de la police et des finances. Le mot "intendant" désigne des fonctions d'administrateur et d'organisateur. Jean Talon a vraiment été l'organisateur de la Nouvelle France.

En France, il avait occupé un poste semblable. Mais la prise en charge de pareilles responsabilités dans un pays encore inexploité et possédant d'immenses ressources naturelles stimula ses talents. Il s'y révéla diligent, enthousiaste, doué d'une grande clairvoyance dans le domaine économique. Dès son arrivée au Canada, il se mit au travail et, bien que ses attributions fussent théoriquement subordonnées à celles du gouverneur, il assuma bientôt la direction incontestée de la colonie.

Au temps de Jean Talon et jusqu'en 1763, date de l'avènement du régime anglais, les tâches incombant à l'intendant faisaient de lui le principal instrument de la Couronne. Ses fonctions étaient nombreuses et variées. Il avait la haute main sur la réglementation du commerce, de l'industrie et de l'agriculture. Ses activités touchaient de près ou de loin tous les domaines de la vie coloniale. Il était à la fois Ministre de la justice et Juge suprême du Canada; il avait le droit d'annuler les sentences prononcées par la Cour ou de soustraire certaines causes aux tribunaux réguliers si l'intérêt national l'exigeait. Il était collecteur des impôts et responsable des règlements de la santé, de la construction des ponts et aussi du ramonage des cheminées; et ce n'est pas tout, il devait également s'occuper de l'afflux des immigrants et faire observer le jour du Seigneur. Son influence se faisait sentir non seulement dans chaque service du gouvernement, mais aussi dans tous les détails de la vie quotidienne du peuple.

Une description sommaire des nombreuses activités de Jean Talon donnera une idée du rôle et du pouvoir d'un intendant et nous fera mieux comprendre l'influence qu'il exerça sur le Canada.

En bon administrateur, la première tâche qu'il entreprit fut de dresser l'inventaire du pays. C'est lui qui fit le premier recensement de la population en 1666; dont voici les résultats: la population du pays

yers. The entire country had only three settlements, inhabited by 528 families. Quebec had a population of 2,135; Montreal - 635 and Three Rivers - 455.

Jean Talon understood that Canada could not develop unless its population increased, and he therefore actively encouraged immigration. In addition to seeking French immigrant settlers, he influenced a good many French soldiers that they remain in Canada. Every immigrant was given aid in the form of land grants and tools. Jean Talon also saw to it that the immigrants took roots in the new land. Since there were more men than women in Canada, Jean Talon arranged the immigration of young women who were later married to the colony's bachelors. The Canadian birth rate was of particular concern to Jean Talon, and he took special measures to encourage large families.

Jean Talon helped develop the country's agriculture by settling new immigrants and soon hundreds of farms stretched along the banks of the St. Lawrence.

Through Talon's initiative Quebec founded a ship-building industry, and within a short time small boats, as well as ocean going vessels were being built in Canada.

To exploit the immense timber resources, he encouraged the building of sawmills. Before Jean Talon's arrival only two such mills existed in Canada.

Other industries, such as fishing, tanning, and the manufacture of textiles were also encouraged. Jean Talon sent out men to investigate the mineral riches of the country. From a small and weak colony, with primitive and undeveloped industries, importing most of its needs from Europe, Canada waxed strong within a few years to the extent that Jean Talon was able to state: "I am proud to be dressed from head to foot in clothing that has been made in Canada."

Jean Talon was also a statesman, who sent on some excellent advice about the defense of Canada to the French court. He suggested at one point that France buy the territory, where the City of New York now stands. This was a most feasible proposal at that time, well within the realm of possibility.

Jean Talon contributed a great deal to Canada's colonial growth. He came to Canada in 1665, and found a weak settlement. Seven years later, upon his departure, he left the expanding, active and thriving colony, "New France".

était de 3,152 personnes, comprenant 5 médecins, 30 tailleurs, 3 forgerons et 3 avocats. Il y avait 2,034 hommes et 1,181 femmes et, dans son ensemble, le pays comptait 528 familles résidant respectivement dans les trois colonies suivantes: Québec, population 2,135; Montréal, population 635 et Trois-Rivières avec une population de 455 personnes.

Talon se rendit compte immédiatement que le pays ne pouvait pas prospérer sans une augmentation considérable de la population. Par conséquent, il encouragea activement l'immigration des sujets français et influença bon nombre de soldats français à s'établir au Canada. Chaque immigrant recevait un lopin de terre et des outils et Jean Talon faisait le nécessaire afin de les aider à s'établir définitivement dans la colonie. Le taux des naissances l'intéressait tout particulièrement et il encouragea les familles nombreuses. Etant donné qu'il y avait plus d'hommes que de femmes dans le pays, il fit venir des jeunes filles de France qui se fiancèrent et se marièrent, fondant ainsi de nouvelles familles.

Il aida au développement de l'agriculture par l'établissement de nouveaux fermiers et bientôt des centaines de fermes s'échelonnaient le long des rives du fleuve Saint-Laurent.

Grâce à l'initiative de Jean Talon, un chantier de construction navale fut fondé à Québec, où l'on commença à construire des petits bateaux et, plus tard, à produire des navires de haute mer.

Afin de tirer profit des énormes ressources forestières du pays, il encouragea la construction de scieries de bois. Avant l'arrivée de Jean Talon, il n'y avait que deux usines de ce genre au Canada.

Il favorisa également d'autres industries, telles que la pêche, les tanneries et les manufactures de textiles. Il fit entreprendre des recherches afin de connaître les ressources minérales du pays. La petite colonie, ne possédant pourtant que de petites industries encore à l'état expérimental et équipées d'un outillage rudimentaire nécessitant l'importation des matières premières de l'Europe, réussit, malgré tout, en quelques années, à être suffisamment forte pour faire dire par Jean Talon: "Je suis fier d'être habillé, de la tête aux pieds, de vêtements fabriqués au Canada".

Jean Talon possédait aussi les qualités d'un homme d'Etat et il fit parvenir d'excellentes suggestions à la France concernant la défense du Canada. A un moment donné, il proposa à la France d'acheter la partie des Etats-Unis dans laquelle se trouve à présent New-York. A cette époque, c'était un projet qui aurait pu être réalisé.

Les réalisations de Jean Talon favorisèrent grandement l'essor de la nouvelle colonie. Il arriva au Canada en l'an 1665 et y trouva une colonie dans un état de grande détresse. Il quitta ce même pays, quelque sept ans plus tard, laissant derrière lui une laborieuse, active et ambitieuse nation "La Nouvelle France".

FRONTENAC

ONE of the most colourful personalities in Canadian history is that of Louis de Buade, Comte de Frontenac, who came to Canada in the year 1672 to become Governor of the young colony.

Frontenac was a descendant of one of France's oldest families, the cream of its nobility. He actively participated in the social life of France, was a frequent guest at the French Royal Court, his military record was good, and he might have gone far in his career. His major fault was a violent and volatile temper. A single word could set within him the spark for a bitter quarrel.

When the King of France decided to send Frontenac to Canada as its Governor, he most likely felt that this appointment would help him get rid of a trouble maker, and that the hardships of Canada might prove to be the proper whetstone for Frontenac's fiery temperament.

In spite of many obstacles, Frontenac successfully completed numerous projects which earned him a prominent place in Canadian history. It is true that he had a violent temper, that he loved public acclaim, and that he was a spendthrift, but, on the other hand, he was also a highly capable man, who loved his king and was devoted to the welfare of France.

In those days the duties of the governor included command of the Army and the colony defense. The governor was responsible for the colony's foreign policy, and was to supervise its relations with the Indians, and to preside at the Government Council — the supreme power in the colony.

Frontenac did a great deal towards improving relations with the Indians, who were a formidable danger to the young colony. It was their custom to attack, to kill and to loot. Numerous attempts to tame their savagery were without success.

It did not take Frontenac very long to become acquainted with the mentality of the Indians, and he sought to impress them with all the glitter and regalia of the French Court.

His first move was to establish a military base at the point where the St. Lawrence flows into Lake Ontario. This was a strategic location from a commercial as well as from a military point of view. At the festive ceremony of laying the cornerstone of the new base, Frontenac appeared in the glittering regalia of his uniform, accompanied by a colourful military parade. The Indians whom Frontenac assembled to witness the ceremony were deeply impressed by the military pomp that was displayed for their benefit.

Frontenac learned Indian ways and customs; he even participated in their dances, and made the Indians feel that he was their father who

FRONTENAC

PARMI les personnages les plus pittoresques de l'histoire du Canada, l'on compte Louis de Buade, comte de Frontenac, qui arriva dans la jeune colonie, en 1672, en qualité de gouverneur.

Frontenac appartenait à l'une de ces vieilles familles qui constituaient la fine fleur de l'aristocratie française. Menant une vie sociale active, assidu à la Cour, cité à l'honneur aux armées, Frontenac était promis à un brillant avenir mais il était doté d'un tempérament vif et emporté. Pour un rien, il entrait dans de folles colères.

En nommant Frontenac gouverneur du Canada, le roi de France débarrassait le pays d'un fougueux importun ; peut-être aussi, se disait-il, que les difficultés rencontrées au Canada réussiraient à tremper ce caractère trop bouillant.

Malgré ses lacunes, Frontenac a réalisé plusieurs projets qui lui ont valu une des premières places dans l'histoire du Canada. Violent, avide d'honneurs, dépensier, il était néanmoins intelligent, perspicace et tout acquis à la cause de son roi et de sa patrie.

A l'époque, il incombait au gouverneur d'assumer le commandement de l'armée et d'assurer la défense de la colonie. Le gouverneur dirigeait la politique extérieure de la colonie, voyait à l'entretien des bonnes relations avec les Indiens, et présidait le Conseil Souverain, détenteur du pouvoir suprême.

Grâce à Frontenac, les rapports avec les Indiens furent manifestement améliorés. Les Indiens constituaient un danger formidable pour la jeune colonie, ils attaquaient, tuaient et pillaient sans pitié. Jusqu'ici, nul n'était venu à bout de leurs moeurs sanguinaires.

Dès son arrivée, Frontenac sut pénétrer la psychologie des Indiens. Il se mit en frais de les impressionner en déployant un faste et une pompe dignes de la cour de France.

Pour débuter, il établit une base militaire à l'endroit où le Saint-Laurent se jette dans le lac Ontario. C'était un point stratégique autant du point de vue commercial que du point de vue militaire. Frontenac posa la première pierre du fort en grande cérémonie, vêtu de son uniforme chamarré et accompagné d'un grand déploiement militaire. Les Indiens rassemblés là, furent fortement impressionnés par ce spectacle conçu à leur intention.

Frontenac se familiarisa bientôt avec les usages et les coutumes des indigènes, allant même jusqu'à participer à leurs danses. Il prit à leur égard le rôle d'un père aimant, mais prêt à châtier avec rigueur le moindre manquement. Les Indiens le comprirent et furent subjugués par l'empire de sa forte personnalité.

Néanmoins, Frontenac eut des démêlés avec Monseigneur de Laval et avec Nicolas Perrault, gouverneur de Montréal. De part et d'autre, on envoya au roi des lettres accusatrices. La jeune colonie était en effervescence. Frontenac fut gouverneur du Canada de 1672 à 1682. Pendant tout ce temps, il se querella continuellement avec les autorités.

loved them. By the same token he would punish them severely, when necessary. The Indians understood him and fell under the sway of his compelling personality.

However, Frontenac quarrelled with Bishop Laval and with Nicholas Perrault, Governor of Montreal. Letters, carrying accusations and counter-accusations were often sent to the King of France. The conflicts caused a great deal of excitement within the young colony. Frontenac served as Governor of Canada from 1672 to 1682. He quarrelled frequently with various officials, and the complaints against him grew in pitch and volume. As a result of these complaints, he was finally recalled to France.

Other governors were appointed after Frontenac's departure. Unfortunately none of them mastered the art of getting along with the Indians as Frontenac did. The Indians renewed their savage and destructive attacks, and the situation became critical once more. The French authorities had to call again on Frontenac's help to restore peace and order in Canada.

In 1689 the King of France sent for Frontenac who was then seventy years old, and told him: "I am sending you back to Canada. I know that you are still as loyal to me as ever — I can ask no more."

Frontenac's arrival was in itself sufficient to boost the colony's sagging morale. Shortly before he reached Canada an Indian attack at Lachine had taken several hundred lives. Frontenac was greeted upon his return to Canada by one and all.

It was Frontenac's firm belief that the English had incited the Indians to attack the French settlers. He therefore summoned troops in order to fight the English .Soon war broke out between the English and the French colonies. Frontenac was embroiled at the same time in a war against the Indians. On several occasions he sued for peace, but the Indians refused to come to terms with him, and the ferocious war continued for three years.

In 1690 an English fleet approached the City of Quebec. Undaunted, Frontenac refused to surrender and the fleet left, its mission unfulfilled. This occasion was honoured by a medal which bore the inscription, "Quebeca Liberata".

Frontenac died in the year 1698, at the age of 79. In spite of some of his faults, he remains one of the most colourful heroes in Canadian history.

Un torrent d'accusations et de plaintes affluait vers la France et Frontenac fut rappelé.

Plusieurs autres gouverneurs lui succédèrent, mais aucun d'eux ne posséda au même degré que Frontenac l'art de traiter avec les Indiens. Bientôt, les Indiens reprirent leurs attaques meurtrières et destructrices. La situation devint critique au point qu'il fallut, une fois de plus, avoir recours à Frontenac pour sauvegarder la paix et l'ordre au Canada.

En 1689, le roi manda Frontenac, alors âgé de 70 ans, et lui dit: "Je vous dépêche de nouveau au Canada. Je vous sais toujours aussi fidèle à ma personne — je n'en demande pas plus."

L'arrivée de Frontenac suffit à relever le moral de la colonie. En effet, peu de temps auparavant, les Indiens avaient attaqué Lachine, décimant la population : il y eut plusieurs centaines de victimes. Ce désastre suffit à rallier tout le monde à la cause de Frontenac.

Frontenac croyait que les Anglais avaient poussé les Indiens à ces attaques et, il envoya ses troupes combattre les Anglais. Bientôt, ce fut la guerre déclarée entre les colonies anglaises et françaises. En même temps, Frontenac devait faire front contre les Indiens. A plusieurs reprises, il leur proposa la paix, mais les Indiens refusèrent, et ce fut une guerre atroce qui dura trois ans.

En 1690, une flotte anglaise approcha de Québec. Déterminé, Frontenac refusa de se rendre ; la flotte repartit sans avoir accompli sa mission. Pour commémorer cet événement, on frappa une médaille inscrite de ces mots : "Quebeca Liberata".

Frontenac mourut en 1698, à l'âge de 79 ans. Malgré ses travers, il demeure l'un des plus authentiques héros de l'histoire canadienne.

BISHOP LAVAL

ON a nice summer day in the year 1659, the population of Quebec gathered on the banks of the St. Lawrence and waited impatiently for the arrival of a small boat carrying but a few passengers. The awaited guests were obviously people of great importance since the Governor himself, dressed in his official regalia, was there to meet them.

There was on the boat, among the passengers, a slim, tall man, who wore the habit of a Jesuit priest. His face was remarkable for its strongly chiselled features. He had penetrating black eyes, a strong chin, and a sharp, longish nose. The man was none other than Francois de Laval-Montmorency, who became the Bishop of Canada, and who was to leave an indelible mark on Canadian History.

The son of a noble French family, related to the King of France, Bishop Laval was remarkable for his dignity, his iron will, and his devotion to the aims of the Church. Never did he seek personal gain, and his private fortune was spent on the common good.

Bishop Laval worked tirelessly for his church and his faith, sparing no one who pitted himself against the Church. He travelled constantly in summer and winter, under the most difficult conditions, through the wildest parts of the country and to the most remote settlements, where he preached the Word of God.

He often disagreed with the colony's leadership on various matters. He was especially opposed to the sale of whisky to Indians. The effect of whisky on the Indians was very violent. To obtain it, they often had to part with all their possessions. The colony's leaders, on the other hand, argued that, if the Indians could not obtain whisky from the French colonists, they would take their furs and other wares to the English colonists. This could ruin Canada economically.

Bishop Laval, however, did not yield to these arguments. He believed that alcohol would destroy the Indians, and struggled bitterly to achieve legislation which would prohibit the sale of whisky to them. In this he finally succeeded, but the opposition to the law was so widespread among the very people who were to enforce it that it had little effect.

Bishop Laval's main achievements were in the field of education, particularly with regard to religious education, which is why he is known as the Father of the Catholic Church in Canada. In the year 1663 he received royal assent for the establishment of a religious seminary in Canada. The chief aim of the seminary was to prepare Canadian priests for ordination instead of bringing priests from overseas.

Bishop Laval also established a set discipline among the Catholic clergy in Canada. Until his arrival, the priests acted more or less inde-

MONSEIGNEUR DE LAVAL

PAR un beau jour d'été de l'année 1659, la population de Québec rassemblée sur une rive du Saint-Laurent, attendait avec impatience l'arrivée d'un petit bateau portant quelques passagers. Ces arrivants étaient assurément des gens très importants, puisque le gouverneur lui-même, en grand uniforme, s'était porté à leur rencontre.

Déjà l'on apercevait les passagers; parmi eux se distinguait un homme grand et mince portant l'habit des Jésuites. Ses traits étaient bien tracés, les yeux noirs et pénétrants, la bouche et le menton résolus, le nez allongé mais bien dessiné. Ce prêtre n'était nul autre que François de Laval-Montmorency, premier évêque du Canada, l'homme qui devait marquer d'une empreinte indélébile l'histoire de son pays d'adoption.

Fils d'une noble famille française apparentée au roi, Mgr de Laval fut remarquable par sa dignité, sa volonté de fer et son attachement aux vues de l'Eglise. Il ne rechercha jamais d'avantages pour lui-même; sa fortune personnelle fut consacrée tout entière au bien commun.

Mgr de Laval fut un travailleur infatigable pour la cause de son Eglise et de sa foi. Il n'épargnait guère ceux qui s'opposaient à l'Eglise. Il voyageait continuellement hiver comme été, dans les conditions les plus difficiles, passant par les endroits les plus sauvages du pays, allant porter la parole de Dieu dans les bourgades les plus éloignées.

Mgr de Laval différait souvent d'avis avec les autorités de la colonie. Il s'opposait surtout à la vente de l'alcool aux Indiens. Ceux-ci, sous l'effet de la boisson, devenaient très violents et perdaient tout contrôle sur eux-mêmes; il était alors aisé de les dépouiller de tout ce qu'ils possédaient. Les autorités prétendaient que si l'on ne vendait pas d'alcool au Canada aux indigènes, ceux-ci iraient vendre leurs fourrures aux Anglais. Cela signifierait la ruine économique du Canada; quant aux Indiens, ils se trouveraient désormais sous l'influence du protestantisme.

Mgr de Laval ne cédait pas. Il était convaincu que l'alcool finirait par détruire les Indiens; aussi arriva-t-il à faire promulguer une loi défendant de leur vendre de l'alcool. Mais, ceux-là mêmes qui auraient dû mettre la loi en vigueur, y étaient tellement opposés, que les résultats ne furent pas satisfaisants.

Mgr de Laval fut plus heureux dans le domaine de l'éducation, particulièrement en ce qui concerne l'instruction religieuse. Aussi lui a-t-on décerné le titre de Père de l'Eglise catholique du Canada. En 1663, le roi donna à Mgr de Laval la permission d'instituer un séminaire, destiné à la formation de prêtres canadiens, en remplacement des prêtres venus d'outre-mer.

Mgr de Laval imposa une nouvelle discipline à son clergé. Jusqu'à son arrivée, les membres du clergé agissaient, chacun à sa guise, n'ayant pas d'évêque à qui rendre des comptes. Désormais, les prêtres furent requis de venir suivre, à intervalles réguliers, des cours au Séminaire.

pendently, having no bishop to whom they were responsible. Laval insisted that they observe disciplinary rules and that they come to the seminary from time to time for refresher courses. The seminary, founded by Bishop Laval grew and flourished into a university which bears his name — Laval University of Quebec.

In the year 1668, Bishop Laval founded a seminary for children, and encouraged elementary schooling. He drew his students from all segments of the population, offering free education and financial assistance to the poor.

Bishop Laval also established a school where children were taught trades and given instruction in agriculture. The school trained its students to become carpenters, painters, toolmakers, etc. These artisans greatly contributed towards the colony's growth and development.

Laval officially became Bishop of Quebec in 1674. Since his arrival, however, he had been given general recognition as the leader of the Catholic church in Canada.

Bishop Laval died in 1708, at the age of 85. He was interred in the chapel of the seminary which he had founded. He loved the new land and its people, but above all, he loved the Catholic Church. His memory is preserved by the educational institutions, national parks, and many landmarks which bear his name.

Ce Séminaire devint l'université qui porte encore le nom de son fondateur : l'Université Laval de Québec.

En 1668 un petit Séminaire vint s'ajouter au grand Séminaire. Grâce à cette fondation, le principe de l'éducation des enfants se généralisa. Des enfants de toutes les classes sociales y affluèrent ; les moins fortunés n'avaient rien à payer, ils recevaient même une aide pécuniaire.

Mgr de Laval établit aussi une école technique où l'on enseignait l'agriculture et les métiers. De cette école sortirent de nombreux menuisiers, peintres, fabricants d'outils et autres. Ces corps de métiers contribuèrent beaucoup à l'expansion de la colonie, aussi étaient-ils en grande demande.

Ce n'est qu'en 1674 que Mgr de Laval devint officiellement évêque de Québec. En fait, dès son arrivée, tous l'avaient reconnu comme premier pasteur de l'Eglise catholique au Canada.

Monseigneur de Laval mourut en 1708, âgé de 85 ans. Il fut enterré dans la chapelle du Séminaire qu'il avait fondé. Il avait aimé sa patrie, ses concitoyens et, par dessus tout, l'Eglise catholique. Des maisons d'éducation, des parcs nationaux et de nombreux monuments portant le nom du vénérable prélat attestent du rayonnement que garde encore son nom de nos jours.

THE "KING'S DAUGHTERS"

ABOUT 300 years ago a young Frenchman by the name of Francois Lenois stood before a judge in the Montreal court house. He was accused of trading with the Indians without a licence, and pleaded guilty. The sentence passed by the judge was a most unusual one. Francois was to promise that as soon as the next group of girls arrived in Canada, he would marry one of them. If he failed to carry out this promise, he would have to pay a fine of 150 pounds, which was a very large amount of money in those days.

Who were the girls, one of whom Francois was to select for his bride? They were girls brought to Canada from France for the purpose of marriage.

Canada was a large, but sparsely populated country at that time. Its population consisted of no more than three thousand five hundred souls, and there were twice as many men as women in the colony.

One of the best known intendants, or administrators, of the new colony was Jean Talon. He was greatly devoted to the development of the country, and distinguished himself in his administrative abilities and colonizing efforts. Jean Talon realized that without a larger population the country could not progress. He felt that one of the best ways of increasing the population was to persuade its single men to marry and raise large families.

There were, however, not enough girls in Canada, and Jean Talon decided to bring them from France. Within a short time boatloads of girls began to arrive. Between 1665 to 1673 there came to Canada about one thousand girls. Preference was given to sturdy farm girls who would make good wives for the Canadian pioneer settlers.

Selecting the girls was a serious matter. Most of them came from villages of Brittany and Normandy, in Northern France. Many were reluctant to leave their homes for new strange lands. Canada was still a vast wilderness, far away and unknown. Most of the girls who volunteered were daughters of large and poor families for whom there was very little future in France. Orphan girls, without families who lived in convents and orphanages were also among those who volunteered to go to Canada. It was required that the girls be strong and in good health. They also had to obtain the approval of the Church before being accepted for settlement in the colony. It is easy to imagine the fears and anxieties that these girls felt about their future in a distant, unknown land.

There was great rejoicing among the Canadian settlers whenever a group of girls arrived. The young single men would gather on the wharf to meet the boat in order to catch a glimpse of their brides to be. Upon

LES "FILLES DU ROI"

IL y a quelque 300 ans, un jeune Français, François Lenois comparaissait en cour du tribunal de Montréal, sous l'accusation d'avoir trafiqué avec les Indiens sans permis. Lenois plaida coupable et il écopa d'une sentence singulière. Il devait promettre de se marier dès qu'arriverait au Canada le prochain contingent de jeunes filles. A défaut, il se verrait dans l'obligation de payer une amende de 150 livres, somme considérable à l'époque.

Qui étaient ces jeunes filles parmi lesquelles Lenois devait se choisir une femme? C'étaient tout simplement des jeunes filles françaises envoyées au Canada pour s'y marier.

Cet immense Canada n'avait qu'une toute petite population, comptant de trois à cinq mille âmes; les hommes y étaient deux fois plus nombreux que les femmes.

L'un des mieux connus des intendants ou administrateurs de la jeune colonie était Jean Talon. Il s'intéressait beaucoup à l'essor du pays, et il se distingua par ses talents d'administrateur et de colonisateur. Talon comprit tout de suite que le Canada ne serait pas en mesure de prospérer s'il n'était pas peuplé davantage; aussi estima-t-il que le meilleur moyen d'augmenter la population serait d'inciter les célibataires à se marier et à encourager les familles nombreuses.

Puisqu'il n'y avait pas assez de femmes au Canada, Jean Talon décida de les importer de France. Des bateaux transportant des jeunes femmes gagnèrent le pays. C'est ainsi que de 1665 à 1673, un millier de femmes arrivèrent au Canada. On les avait choisies de préférence, parmi les robustes filles de fermiers qui devaient convenir aux colons canadiens.

Le recrutement de ces jeunes femmes se fit très sérieusement. La plupart d'entre elles venaient des villages de la Bretagne et de la Normandie. Plusieurs femmes ne voulaient guère abandonner leur famille pour ce lointain Canada, dont on ne connaissait pas grand'chose et qui passait pour être bien sauvage. La plupart des "volontaires" étaient filles de familles nombreuses et pauvres, qui n'avaient pas grand avenir en France. Il y eut aussi des recrues parmi les orphelines vivant dans les orphelinats et les couvents. Il était de règle que les jeunes filles fussent fortes et en bonne santé; il leur fallait aussi l'approbation de leur curé. Dans les circonstances, il allait de soi que ces jeunes filles fussent pleines d'appréhension au sujet de leur sort dans un pays dont elles ne savaient à peu près rien.

Les colons canadiens étaient ravis de l'arrivée de chaque nouveau groupe de jeunes filles. Les jeunes célibataires se groupaient sur la jetée, essayant d'apercevoir leurs futures épouses à bord des bateaux qui approchaient du rivage. Les jeunes filles étaient sous la surveillance de religieuses et, aussitôt arrivées, elles étaient placées dans un couvent où elles demeuraient jusqu'au moment de leur mariage. Les jeunes gens qui désiraient se marier visitaient les soeurs et devaient don-

arrival the girls were placed under the strict supervision of nuns. The young men, interested in marriage, reported to the nuns. They had to give a full account of themselves, of their past behaviour, their income, and their property. If a young man was found to be acceptable, he was introduced to several girls whom the nuns considered suitable for him and the bachelor could choose his bride. The girls were not forced to accept an offer of marriage if they did not wish to do so. In all instances the consent of the bride and groom was necessary.

The period of courtship was very short. Mass ceremonies would often be held in order to speed up the marriages. As many as thirty couples were known to have been married at one time.

The girls are usually referred to in Canadian history as the "King's Daughters". The King of France gave each one of them a dowry of fifty-one pounds in money, some household utensils, and a quantity of food. The young couples were also helped to establish themselves in other ways.

The Government encouraged large Canadian families. The famous French Statesman, Colbert, in one of his letters, suggested to Jean Talon that he influence French Canadians to marry at an early age. Boys were to marry at the age of nineteen or twenty. Girls — at fourteen or fifteen. Those who married before reaching the age of twenty received a special grant of 20 pounds from the King. To discourage late marriages, older bachelors were required to pay higher taxes and were deprived of certain privileges such as the right to trade with the Indians, which was one of the most profitable occupations in those days.

To encourage large families, parents of ten children would receive three hundred pounds per year from the Government. Those who did not marry off their sons before the age of twenty and their daughters, before the age of fifteen, had to pay fines.

The healthy, hard working "King's Daughters", helped greatly in the development of New France.

ner un compte-rendu complet de leur caractère, de leurs revenus, des propriétés qu'ils possédaient et de leur occupation. Si les qualifications du candidat étaient satisfaisantes, on le présentait à quelques jeunes filles que les soeurs jugeaient aptes à s'entendre avec lui, et parmi lesquelles il choisissait sa future épouse. Les jeunes filles n'étaient jamais forcées d'accepter une offre de mariage qui ne leur convenait pas. Dans tous les cas, le consentement des futurs conjoints était indispensable.

La période des fiançailles était réduite au minimum et, afin de hâter les mariages, des messes de mariages en groupe était souvent célébrées. Un groupe comprenait parfois jusqu'à 30 couples.

Ces jeunes filles sont connues dans l'histoire du Canada sous le nom de "Filles du Roi", car le roi de France, lors de leur mariage, leur offrait une dot de 51 livres en argent, quelques ustensiles de ménage et une certaine quantité de vivres. Les jeunes couples recevaient toute l'assistance qui leur était nécessaire.

Le gouvernement français encourageait les familles nombreuses de la colonie. Le fameux ministre, Colbert, écrivit à Jean Talon lui suggérant d'inciter les Canadiens à se marier le plus tôt possible. Les jeunes garçons se mariaient entre 19 et 20 les jeunes filles entre 14 et 15 ans. Ceux qui se mariaient avant d'avoir atteint 20 ans recevaient un don spécial de 20 livres de la part du roi de France. En vue de décourager les mariages tardifs, les célibataires d'un certain âge étaient obligés de payer des taxes plus élevées et se voyaient refuser certains privilèges, tel le commerce avec les Indiens. Ce commerce étant très rémunérateur, en être privé était un dur châtiment.

Afin d'encourager les familles nombreuses, le gouvernement allouait une somme de 300 livres par an aux familles de 10 enfants. Toute famille dont les fils ne se mariaient pas avant l'âge de 20 ans, ou dont les filles ne se mariaient pas avant d'avoir atteint 15 ans, devait payer une amende.

Ces robustes et courageuses "Filles du Roi" ont certainement contribué grandement à l'édification et à la prospérité de la "Nouvelle-France".

MADELEINE DE VERCHERES

CANADA, in the early stages of its development, experienced many economic and political hardships. However, the most crucial periods in the life of the young colony were spent in battles with hostile Indians.

The struggle against the Indians was no ordinary war, but a sort of guerilla warfare. The Indians with their knowledge of the land, were accustomed to its dangers and hardships, moving about freely through the dense forests and wilderness of Canada.

The war between the Indians and the white men continued for many years. The Indian attacks were swift and ferocious. Their captured enemies were tortured and killed. The attackers disappeared as suddenly as they came. The French colonists were under constant threat and danger. Many a time they displayed acts of heroism and bravery, while defending their small settlements. These incidents of bravery form a glorious chapter in Canadian history. One such incident is the story of Madeleine de Vercheres.

The year was 1692. About 20 miles south of Montreal, on the shores of the St. Lawrence River, there stood a fort. The fort, as well as the land and buildings surrounding it, belonged to a former French officer, named Vercheres. The property had been given to him by the French Government in recognition of his service to the young French colony.

The home of Vercheres was built in the form of a fort, as protection against the Indians. Many settlers' homes at that time were built in the same manner. These fortress-homes, constructed of heavy stone, had small windows through which guns could be fired. Each house stored a supply of ammunition in case of attack. The settlers' homes stood far apart, and one could not always depend upon a neighbour's aid in case of danger.

The estate of Vercheres was isolated and there were no other settlers for miles. One day, in 1692, Monsieur Vercheres and his wife went to Montreal and Quebec. Their 14 year old daughter, Madeleine, her two young brothers, and a few servants were left at home. The other inhabitants of the settlement were working in the fields. Madeleine awaited the return of her parents. She also expected visitors from Montreal. Visitors were rare in those days, and were warmly welcomed, whenever they came.

One day in October, as Madeleine stood on the shores of the St. Lawrence watching for a boat, she suddenly heard gun shots and wild cries coming from the forest. One of the workers who was ploughing a nearby field shouted: "Run for your lives: Iroquois are attacking us." As Madeleine turned around, she caught sight of dark figures darting

MADELEINE DE VERCHERES

AU cours des premiers stades de son établissement, le Canada fut en proie à de nombreuses difficultés, tant économiques que politiques. Les années les plus décisives de la vie de la jeune colonie se passèrent à combattre les indigènes.

Le conflit armé opposant les Français aux Indiens n'était pas une guerre véritable mais plutôt une forme de guérilla incessante. Les Indiens avaient l'avantage de connaître les moindres recoins de la région. Habitués aux particularités du pays, ils se déplaçaient sans peine parmi les forêts denses et sauvages.

Cette guerre continua, sans répit, pendant de longues années. Les attaques des Indiens étaient soudaines et meurtrières, les ennemis qu'ils capturaient étaient atrocement torturés et mis à mort. Ils disparaissaient aussi rapidement qu'ils étaient venus et les colons français vivaient sous un véritable régime de terreur. L'héroïsme et le courage eurent leur large part dans la sauvegarde de la colonie, ils constituent une page glorieuse de notre histoire. Madeleine de Verchères fut l'héroine d'un de ces hauts faits.

En 1692, à environ 20 milles au sud de Montréal, le long des rives du Saint-Laurent, se trouvait un fort. Les bâtiments adjacents et la campagne environnante appartenaient à un ancien officier de l'armée française nommé Verchères. Le gouvernement français lui avait donné cette propriété en récompense de services rendus à la jeune colonie.

La maison de Verchères tenait plus du fort que d'une habitation commune. Elle ne différait pas en cela des autres maisons, car il fallait se prémunir contre les attaques des Indiens. Ces maisons fortifiées étaient faites de pierres très lourdes, les murs étaient percés de petites fenêtres afin de permettre aux habitants de tirer des coups de fusil tout en étant à l'abri. Chaque maison possédait sa propre réserve de munitions, car les maisons étant fort éloignées les unes des autres, personne ne pouvait compter sur l'aide du voisin en cas d'attaque.

La propriété des Verchères était très isolée, il n'y avait aucune autre maison des milles à la ronde. Un jour, en 1692, Monsieur de Verchères et sa femme partirent en voyage pour Montréal et Québec. Ils laissaient à la maison leur fille de 14 ans, Madeleine, ainsi que ses deux frères cadets et plusieurs serviteurs. Des habitants des alentours vaquaient aux travaux des champs. Quant à Madeleine, elle attendait des visiteurs de Montréal, pendant l'absence de ses parents. Les visiteurs étaient rares, aussi étaient-ils toujours les bienvenus.

On était au mois d'octobre; Madeleine attendait sur la berge du Saint-Laurent, scrutant l'horizon afin d'y découvrir la venue d'un bateau. Soudain, elle entendit des coups de feu et des cris féroces en provenance de la forêt voisine. L'un des hommes travaillant dans les champs cria: "Fuyez, les Iroquois nous attaquent". Se retournant, Madeleine aperçut des indigènes, le visage hideusement peint, tomahawk à la main, allant d'un arbre à l'autre.

from tree to tree. Their faces were hideously painted and in their hands they waved their deadly tomahawks.

Although the workers in the fields attempted to escape, most of them were massacred by the Iroquois. Madeleine was petrified by what she had seen, but quickly regained her self-control. Mustering all her strength, she ran for cover. A bullet whizzed by her ear. One of the pursuing savages snatched the kerchief that she wore on her head, but she freed herself and escaped behind the protective fence. Quickly she rallied the small group of people to defend the fort. One of the defenders, an eighty-year old soldier, held on to a keg of gunpowder and was ready to blow up the entire fort rather than let it fall. Madeleine shamed him into resisting the Indians. By her example, Madeleine gave courage to the people around her. She ordered all available guns to be fired without interruption as long as the ammunition held out. In this way she sought to deceive the Indians into believing that the fortress was being defended by a large force.

She also ordered one of the defenders to walk around the fortress and shout: "All is well". This, she thought, would impress the Iroquois and make them believe that a large number of defenders were encamped behind the besieged walls. The siege continued for a week. Fatigued though she was, Madeleine remained alert at all hours and with her courage fired the hope and spirits of the small group of defenders.

Meanwhile some of the workers who had managed to escape from the Iroquois attack made their way to Montreal, and told of the dreadful siege. A company of soldiers was immediately sent to relieve the fort. Upon their arrival, the soldiers were amazed to find the small group alive and the defense carried on so successfully by the young heroine, Madeleine.

The story of Madeleine de Vercheres has remained in Canadian history as an example of pioneer heroism. In later years she married Marcel de la Perade, one of the men whom she had saved from the Iroquois. Madeleine de Vercheres is buried near the church in Ste. Anne de la Parade, where her grave can be visited to this day.

Les travailleurs des champs s'élancèrent en courant vers leurs maisons dans l'espoir d'échapper aux Iroquois, mais la plupart d'entre eux furent massacrés. Ce spectacle terrifia Madeleine, mais bientôt, elle reprit son sang-froid et, rassemblant toutes ses forces, elle courut se mettre à l'abri. Une balle siffla tout près de son oreille. Un Indien, arrachant le fichu qu'elle portait sur la tête, tenta de s'emparer d'elle, mais Madeleine réussit à se libérer et s'enfuit derrière la palissade protectrice. Vite, elle rassembla le petit groupe de ses gens afin de défendre le fort. L'un des défenseurs, un vieux soldat de 80 ans s'apprêtait à faire sauter un baril de poudre afin de tout détruire plutôt que de tomber vivant entre les mains des Iroquois. Madeleine lui fit honte de son geste, faisant valoir qu'il n'y avait qu'une chose à faire à tout prix: se défendre. Par son exemple, elle encouragea les autres et elle donna l'ordre de tirer et de continuer jusqu'à épuisement total des munitions. Par ce moyen, elle espérait leurrer les indigènes, qui croiraient le fort défendu par beaucoup plus d'hommes qu'il n'y en avait en réalité.

Madeleine ordonna qu'un homme fît le tour de la forteresse en criant: "Tout va bien!", afin d'impressionner les Iroquois. Le siège continua pendant une semaine et Madeleine, bien qu'à bout de fatigue, demeura alerte à toute heure du jour, remontant le moral des défenseurs par son invincible courage.

Entretemps, quelques-uns des travailleurs qui avaient échappé à l'attaque des Iroquois, étaient parvenus jusqu'à Montréal. Ils dirent le péril dans lequel se trouvait la petite colonie et aussitôt, un régiment de soldats fut dépêché à la rescousse des malheureux. Pensant ne trouver que des ruines, quel ne fut pas leur étonnement d'apercevoir le petit groupe encore en vie et tenant les Iroquois en respect, grâce au courage de la petite héroine, Madeleine de Verchèrs.

Cet acte d'héroïsme figure parmi les annales du jeune Canada. Quelque temps après cet événement, Madeleine de Verchères épousa Marcel de la Pérade qu'elle avait sauvé lors de l'attaque des Iroquois. Madeleine de Verchères fut enterrée près de l'église Sainte-Anne de la Pérade, où l'on peut encore visiter sa tombe.

MONSIEUR LE SEIGNEUR

EARLY French Canada, or "New France", developed along feudal lines, but Canadian feudalism assumed forms which differed from those of the European tradition.

Several hundred years ago, with the means of transportation undeveloped and the country's industrial life in a primitive state, land and agriculture were the main sources of subsistence.

The main features of the feudal system were as follows. All the land belonged to the King. Since the King could not administer this vast territory, he divided it among his nobles. The nobles had to maintain order in their regions and were bound to come to the aid of the King when the need arose. High ranking nobles would divide their land among nobles of lesser rank and so it went down the line to the peasant who was a serf. The serf's labour maintained the entire nobility. The feudal lord had complete jurisdiction over his serfs.

At the time of Canada's colonization, France had a feudal system and, quite naturally, the colony adopted the same structure. However, Canadian feudalism was much more benign, and under it the habitant enjoyed comparative freedom. This Canadian social structure was known as the Seigneurial System.

In order to hasten colonization, the French Government made large grants of land, called seigneuries. Their recipients were called seigneurs. About 300 seigneuries of various sizes were established in Canada. They were generally located along the banks of a river, because rivers offered the only adequate means of communication and transportation. The seigneurs were committed to military service, defense of the country in time of war, and were obligated to colonize the land with farmers. They were also expected to deliver certain supplies to the Government. The seigneur could decide on the area that he wished to cultivate for himself, but had to rent out the remaining land to peasants.

It is interesting to note that in theory the seigneur had many claims on the habitant, but in reality the habitant was quite free. If he was dissatisfied with the conduct of one seigneur, he could, without difficulty, find a farm with another seigneur.

The payments made by the habitant to the seigneur were not at all oppressive. One payment, the "cens", which amounted to but a few cents, was a formal acknowledgement that the land belonged to the seigneur. Another form of payment was the "rent" for the use of the seigneur's land. The modern equivalent of this rent is about fifty cents per acre, which could be paid either in money or goods. It was also established that whenever one farmer sold his land to another, the seigneur received part of the payment. The habitant had to bring his grain to be ground at the seigneur's mill, where he paid for the milling

LE "SEIGNEUR" EN NOUVELLE-FRANCE

L'ANCIEN Canada français ou "Nouvelle-France" a connu à ses débuts un régime féodal, assez différent pourtant de la féodalité européenne.

Il y a plusieurs siècles, alors que les moyens de transport étaient rudimentaires et que la vie industrielle n'avait pas encore évolué, seules la terre et l'agriculture pouvaient assurer la subsistance et la prospérité.

Les éléments principaux du régime féodal étaient établis comme suit: toutes les terres appartenaient au roi. Toutefois, comme le roi ne pouvait administrer lui-même ses biens, il divisait ses terres pour les distribuer aux nobles de son entourage. Les nobles étaient censés faire régner l'ordre dans ces domaines, ils s'engageaient aussi à servir la cause du roi en cas de nécessité. La haute noblesse partageait à son tour les terres parmi la petite noblesse, et ainsi de suite jusqu'à ce qu'on arrivât au bas de l'échelle où se situaient les paysans ou serfs. Les travaux des serfs devaient pourvoir au maintien de toute la noblesse. Quant au seigneur féodal, il possédait une juridiction absolue sur les serfs.

Au temps où le Canada fut colonisé, la France vivait sous un régime féodal; tout naturellement, la colonie adopta le même régime. Les modalités de ce régime étaient plus atténuées au Canada qu'en Europe. En comparaison, les habitants du Canada jouissaient d'une plus grande liberté, sous ce qui fut appelé le régime seigneurial.

En vue d'accélérer la colonisation, le gouvernement français faisait don de terres importantes à certains "seigneurs". Ces terres prirent le nom de seigneuries. Le gouvernement français créa ainsi environ 300 seigneuries au Canada. Les seigneuries n'avaient pas toutes la même superficie, mais elles étaient généralement situées le long des rives d'un fleuve, afin de permettre aux habitants de se déplacer plus facilement; les voies navigables étant les seuls moyens de transport utilisables à l'époque. Les seigneurs s'engageaient à faire leur service militaire, à défendre le pays en cas de guerre, à coloniser leurs terres en y établissant des fermes; ils devaient aussi verser une quote-part de leurs produits au gouvernement. Ils avaient le droit de choisir les terres qu'ils cultiveraient eux-mêmes; ce qui en restait était morcelé et loué aux paysans.

Il est intéressant de noter qu'en théorie, le seigneur avait tous les droits sur les "habitants", mais en réalité, ceux-ci étaient très libres. Mécontent de son seigneur, l'habitant pouvait facilement le quitter et louer une ferme chez un autre seigneur.

Les paiements que les habitants devaient effectuer sur leur terre étaient d'un montant raisonnable. Le premier paiement était le "cens" qui n'était que de quelques sous, il représentait plutôt une preuve à l'effet que le propriétaire de ces terres était bien le seigneur. On pouvait aussi affermer les terres du seigneur pour un montant équivalent de nos jours à environ 50 sous l'acre, payables en argent ou en nature. Lors-

with a tenth part of the grain. This service was unprofitable, and often entailed a loss to the seigneur. In addition to the foregoing, the habitant had to give the seigneur three days' labour each year.

The seigneur was usually the arbiter of local disputes. However, a habitant who was dissatisfied with his verdict, had the right to appeal to the royal court.

The seigneuries have left their characteristic stamp on the geographic development of French Canada. Every seigneur wanted his seigneurie on the banks of a river. To satisfy all the seigneurs, the land-grants were long and narrow. Similarily, every farmer wanted a few feet of land on the river-bank. As the population grew and the river-bank land had been divided and sub-divided among children and grand-children, the shores of the St. Lawrence between Montreal and Quebec acquired the appearance of a populated street. The greatest seigneuries in Canada were the Roman Catholic institutions.

The seignorial system played an important role in the colonization and growth of the country.

qu'un fermier décidait de vendre sa ferme, le seigneur avait le droit de prélever sa part sur le prix de vente. Les fermiers devaient se rendre au moulin à grain du seigneur afin d'y moudre leur grain; ils en versaient le dixième en guise de paiement. L'usage du moulin à grain entraînait plus souvent des pertes que des profits pour le seigneur. Chaque année, les habitants étaient redevables de trois jours de corvée à leur maître et seigneur.

Lors de disputes locales, le seigneur servait généralement d'arbitre, mais un habitant qui avait des plaintes à formuler contre son maître avait le droit de faire appel à la Cour Royale.

Les seigneuries ont laissé des marques caractéristiques dans la géographie du Canada français. Chaque seigneur voulait une terre longeant les rives d'un fleuve; pour satisfaire chacun d'eux, les terres offertes étaient de forme longue et étroite. A son tour, chaque fermier désirait quelques pieds de terre le long de la rivière, on allait de morcellement en morcellement. A la fin, lorsque la population se multiplia et que les lopins de terre eussent été divisés et subdivisés parmi les enfants et les petits-enfants, les rives du Saint-Laurent, entre Montréal et Québec, ressemblaient à des rues surpeuplées. Les plus importantes seigneuries du Canada furent l'apanage des institutions catholiques.

Le régime seigneurial a joué un rôle de première importance dans l'épanouissement de la colonisation au Canada.

THE HABITANT

IT is a general practice to represent nations by symbols and types. England is usually represented by a lion, Russia by a bear, Canada by a beaver and the United States by an eagle. The English type is known as John Bull, the American as Uncle Sam, the Russian as Ivan, and so on.

The French Canadian — especially the French Canadian farmer — is known as "habitant". Today, just as was the case three hundred years ago, the habitant is the backbone of French Canadian life. Often, his way of life today is as simple and down to earth as it has been for generations. Of all the national groups and cultures on the North American continent, French Canada has remained the least affected by external influences, and has continued as a unique island in the turbulent sea of American life. The term, "habitant", originally referred to a citizen of permanent domicile. This distinguished the habitant from the "voyageur", and the "Coureur des bois", who traded in furs and never settled anywhere for long.

A traveller passing through French Canada some two hundred years ago, might have seen the French Canadian settlements stretching like one long village on both shores of the St. Lawrence, between Montreal and Quebec. A few houses, a church spire, made up most of the settlements, and all of them were built either on the shores of the St. Lawrence or near its tributaries. The St. Lawrence was Canada's chief means of communication, and most of the colony's farmers settled on its shores. Not many wanted to settle on land that was not near the river.

The habitant's farm consisted of a long, narrow strip of land. His needs were modest and he cultivated only a few acres, which yielded enough food for his family. There was no market for surplus produce. Several cows, some chickens, a few pigs, sheep and the occasional bit of hunting and fishing, amply supplied the habitant with food. His clothes were homemade. During the long winter the womenfolk spun, knitted and sewed. The habitant's home was small but comfortable, with thick walls which served as protection against the bitter winter cold. The roofs were steeply sloped, so as to let the snow glide off them. The habitant led a simple and sedate life. There was always enough food in the house. Bean and pea soup usually simmered on the fire. The habitant pea soup has gained world fame. The habitant usually had several fruit trees, and the woods near his farm abounded in berries.

Every habitant grew his own tobacco and brewed his own beer. While there were few luxuries, there was no poverty. Homes were constructed of wood and stone, and one can still see them in the region

L'HABITANT

IL est courant d'identifier les nations par les emblêmes qu'elles se sont choisis: l'Angleterre a le lion, la Russie a l'ours, le Canada le castor et les Etats-Unis ont l'aigle. Quant à l'imagination populaire, elle a créé des prototypes bien connus: John Bull pour les Anglais, l'oncle Sam pour les Américains, Ivan pour les Russes et ainsi de suite.

Le Canadien français, et surtout le fermier canadien est devenu l'"habitant". Aujourd'hui, aussi bien qu'il y a trois siècles, l'"habitant" mène souvent une vie simple et rustique. Parmi les différents groupes ethniques et les nombreuses cultures qui forment la population du continent de l'Amérique du Nord, les Canadiens français demeurent les plus imperméables aux influences externes. Ils constituent un véritable îlot au sein du tourbillon de la vie américaine. Le mot "habitant" indiquait initialement tout citoyen possédant un domicile fixe. Ainsi, l'habitant se distinguait du "voyageur" et du "coureur des bois", trafiquants de fourrures sans résidence permanente.

Au voyageur traversant le Canada français il y a quelque deux siècles, les établissements de Canadiens français auraient semblé former un long village s'étendant sur les deux rives du Saint-Laurent de Montréal jusqu'à Québec. Quelques maisons, un clocher, c'étaient là les bourgades établies le long du Saint-Laurent ainsi que de ses affluents. Le fleuve Saint-Laurent étant le principal moyen de communication, les fermiers s'établissaient tous sur ses rives, très peu cherchaient des terres situées plus avant dans le pays.

La ferme d'un habitant canadien consistait en un long et étroit lopin de terre. Les besoins de l'habitant étaient restreints, aussi ne cultivait-il que les quelques arpents nécessaires à la subsistance de sa famille. Cultiver davantage aurait donné un surplus pour lequel il n'y avait pas de marché. Il possédait un bétail qui comptait quelques vaches, des poules, des porcs et un petit nombre de moutons; les produits de la chasse et de la pêche suppléaient aux besoins de sa famille. Les vêtements étaient généralement faits à la maison; les femmes tissaient, filaient, tricotaient et cousaient pendant les longues veillées d'hiver. Les maisons étaient petites mais comfortables, les murs épais protégeaient contre les grands froids de l'hiver. Les toits construits en pente laissaient glisser la neige qui s'y accumulait. Les habitants menaient une vie simple et sédentaire. Ils ne manquaient pas de nourriture; d'ordinaire une bonne soupe aux fèves ou aux pois mijotait sur le feu (cette soupe aux pois est devenue justement célèbre). L'habitant cultivait presque toujours quelques arbres fruitiers; mûres et framboises se trouvaient à profusion dans les bois des alentours.

Chaque habitant cultivait son propre tabac et brassait de la bière pour son usage personnel. On ne connaissait pas le luxe, mais la véritable pauvreté était rare. Les maisons étaient construites en pierre du pays et en bois; l'on peut encore voir de ces vieilles maisons dans les environs de la ville de Québec. Chaque printemps, les maisons étaient

of Quebec City. Every spring the houses were whitewashed, and stood in striking and breathless contrast to the surrounding landscape of green fields and forests. The habitant made his own furniture. Bread was baked once a week in special ovens, constructed outdoors. The artisan occupied an important place and excelled in woodcarving. The beauty of habitant handicraft is well known. The simplicity, the colour and the life-like designs of their woodcarvings have gained wide acclaim.

The habitants's entire life centered around his family and his church. The tie between the habitant and his religion was solid and unshakeable. He went to church regularly and considered the priest to be his friend, as well as spiritual advisor. To this very day, on travelling through Quebec, one can see everywhere evidence of the great contributions in money, labour and craftsmanship that the habitant has made to the church. Although the habitant was in theory the serf of his seigneur, he was, in reality, a free man. The seigneur's fees were small, and if dissatisfied with one seigneur, he could always settle on the lands of another.

It is interesting to note that the habitant had a great deal of autonomy, even though he lived under an autocratic regime. While there were no elections, the habitants always had a representative who interceded on their behalf with the Government. This official was usually the Captain of the district militia, who was himself a habitant, and enjoyed the full confidence of his neighbours.

Compared to the European peasant, the habitant was a free man. The vastness of the country, its small population, the government's concern for the growth of the colony, tended to give the habitant greater liberty. Here was no serf, bearing his master's yoke, but a free man, with modest ambitions, deeply attached to his land, to his family and to his religion. These were the grass roots from which the French Canadian character and way of life have developed.

It would be false to conclude that the habitant's life was entirely carefree and idyllic. He had his share of trouble, trials and tribulations, but his life was simple and healthy, centered around his family hearth.

passées à la chaux, et cette blancheur formait un contraste frappant avec le panorama verdoyant des forêts et des prés. Les habitants fabriquaient aussi leurs meubles et cuisaient du pain, une fois par semaine, dans un four à l'extérieur de la maison.

L'artisanat occupait une grande place dans la vie, en particulier la sculpture sur bois. Les objets sculptés par les habitants sont encore recherchés, ils se caractérisent par la simplicité des lignes, la sobriété des couleurs et les attitudes pleines de réalisme des personnages.

La vie de l'habitant était centrée autour de la maison et de l'église, car les sentiments et la foi religieuse étaient solides et profonds. On se rendait à la messe chaque dimanche et le curé de la paroisse était l'ami de tous. De nos jours, l'on peut encore admirer les belles églises du Québec, où sont conservées de nombreuses œuvres d'art typiques du Canada français. Bien qu'en théorie, l'habitant fut le serf de son seigneur et maître, en pratique il était un homme libre. Le cens prélevé par son seigneur n'était guère élevé et il lui restait toujours la possibilité de changer de ferme s'il n'était pas satisfait de son maître actuel.

Il est remarquable que, tout en vivant sous un régime autocratique, l'habitant jouissait d'une grande autonomie. Bien qu'il n'y eût pas d'élections, les habitants envoyaient toujours un délégué en qualité de médiateur auprès du gouvernement. Ce délégué était habituellement capitaine de la milice d'un certain district, il était lui-même un habitant en qui ses voisins avaient pleine confiance.

Comparé au paysan du continent européen, l'habitant canadien jouissait de plus de liberté. L'immensité du territoire, le manque de population, l'intérêt que portait le gouvernement à l'accroissement de la colonie furent les éléments qui conférèrent une liberté grandissante à l'habitant. Celui-ci n'était pas un serf au sens strict du mot, mais plutôt un homme relativement libre, aux ambitions modestes, profondément attaché à son pays, à sa famille et à sa religion. C'est dans ce milieu qu'on pris souche les racines du folklore canadien français.

Il serait néanmoins faux de croire que l'habitant vivait sans soucis; il avait, au contraire, de nombreux problèmes à résoudre et devait faire face à de grandes difficultés. On peut conclure que la caractéristique la plus importante de l'habitant est la vie simple et laborieuse qu'il menait, centrée entièrement autour de son foyer.

THE EXPLORATION OF CANADA

THERE are two stages to the discovery of unknown lands. First comes the discovery of the country itself, such as islands or continents. The discovery of America by Columbus, for example, brought the new continent into the orbit of European knowledge. However, the newly discovered continent's interior remained for Europe an impenetrable mystery. The second stage of discovery has an exploratory character, discovering new regions in the interior of the country, finding natural resources, and so on.

When the Europeans first landed on the North American continent their explorations of the interior met with the very difficult obstacle of dense virgin forests. Throughout the length of the coast line, from south to north, be it Florida or Labrador, the obstacles were the same. With only primitive means of transportation, faced with land wild and unknown, the forest stood forbiddingly between the explorer and the interior. Thus the explorer always sought natural highways to the interior of the country — the larger rivers which emptied into the sea.

For the French explorers, the St. Lawrence and its tributaries presented a natural highway to the interior of the country.

Apart from the purely human thirst for adventure, there were also other motivations that prompted exploration. The French believed that the St. Lawrence cut right across the continent from the Pacific Ocean to the Atlantic. European commercial interests were at that time seeking a direct route to India, China and Japan. Precious cargoes could be transported if the trade route were free from robbers and pirates. The hope of finding this new and highly profitable route continuously lured the French into the most inaccessible interior of the continent. The religious motive also strongly influenced French explorations into the interior. The French, being devout Catholics, felt it their duty to convert the pagan Indians to Catholicism. This involved finding Indian tribes and setting up missions amongst them from which the work of conversion could proceed. The zeal of the missionaries to reach Indian tribes in the interior of the country led to further discoveries.

Still another purely economic motive was the search for fur. Then, much more than today, fur trading was an important Canadian enterprise. The French, who set out to build a larger "New France", regarded the expansion of the fur trade as equivalent to the expansion of their empire. In order to obtain an ever increasing number of pelts, the fur traders, quite naturally, had to make their way into the remotest regions of the continent.

All these motives played an important role in the exploration of Canada. The overwhelming part of the task fell to the French.

L'EXPLORATION DU CANADA

IL y a deux manières de découvrir un pays. Premièrement, il y a la découverte proprement dite d'un pays, d'îles ou de continents nouveaux; c'est ainsi que Christophe Colomb découvrit l'Amérique et que les européens apprirent l'existence de ce continent, néanmoins, la configuration géographique de l'Amérique demeura lettre morte pour l'Europe. Il existe une seconde façon de procéder à une découverte; celle-ci consiste à explorer le nouveau pays, à délimiter ses régions naturelles et à faire le relevé de ses ressources.

Lorsque les européens débarquèrent pour la première fois sur le continent nord-américain, les explorations à l'intérieur du pays rencontraient un obstacle de taille: la forêt vierge. Tout le long des côtes, du sud au nord, que ce fût en Floride ou au Labrador, l'obstacle était le même. Pourvus de moyens de transport primitifs et inadéquats, les explorateurs affrontaient une nature hostile et inconnue, et toujours la même forêt impénétrable. La seule solution était de remonter les rivières qui débouchaient dans l'océan.

Le Saint-Laurent et ses affluents étaient les voies toutes désignées pour conduire les Français à l'intérieur des terres.

A côté de la soif de l'aventure, il existait d'autres raisons qui motivaient le désir de connaître le pays. Les Français croyaient que le Saint-Laurent traversait le continent de part en part, de l'Atlantique au Pacifique. Les compagnies marchandes voulaient trouver une route menant directement vers l'Inde, la Chine et le Japon, ce qui permettrait d'acheminer leur précieuses cargaisons à l'abri des voleurs et des pirates. L'espoir de trouver cette route nouvelle et l'appât du gain conduisirent les Français à s'aventurer dans les régions les plus inaccessibles du continent. Le zèle religieux ne fut pas étranger à ces expéditions; les Français, fervents catholiques, considéraient de leur devoir de convertir les Indiens païens au catholicisme. Des missionnaires se mirent en quête de découvrir les tribus indiennes afin de s'installer parmi elles et de les convertir.

Le commerce des fourrures, encore plus florissant à l'époque qu'aujourd'hui, attirait de nombreux trafiquants. Les Français, qui voulaient reculer les frontières de la "Nouvelle-France", considéraient que cette expansion irait de pair avec l'essor de la pelleterie. A la recherche de nouvelles fourrures, les trafiquants firent naturellement leur chemin dans des régions nouvelles.

Tous ces facteurs contribuèrent à faire la reconnaissance du pays; la majorité des explorateurs furent des Français.

Les Anglais avaient des visées différentes. Ils n'étaient pas à la recherche d'une route nouvelle vers l'Orient. Ils étaient venus afin de coloniser le pays et s'adonner à l'agriculture. Ils voulaient pour eux-mêmes la liberté du culte, mais ne s'intéressaient pas outre-mesure à la conversion des Indiens. Géographiquement, ils n'étaient pas avantagés pour se lancer dans l'exploration. Ils avaient leurs établissements le

The English were not so much affected by these motives. They had not come to the new continent in search of a route to the Orient, but to colonize the country and engage in agriculture. Nor did the religious motive play a substantial part as far as the English were concerned. They came seeking the freedom to practice their own religion. Their interest in the conversion of the Indians was negligible. Geographically they were not in a position that was favourable for exploration. They settled near the seashore and had few great rivers. There were mountains close to the seashore, but what exactly lay behind the mountains no one knew, nor was anyone bold enough to find out.

French exploration of the continent can be divided into four phases. First the entire length of the St. Lawrence was explored as well as the Great Lakes, that is, Lake Ontario, Lake Huron, etc. Then the entire length of the Mississippi was explored, including the region extending from Florida to the Mexican Gulf. Thirdly, there was an attempt to reach Hudson Bay, an area rich in furs, and last, there was the attempt to explore Canada's West, where the provinces of Manitoba, Alberta, Saskatchewan and British Columbia are today.

The process of exploration lasted a full century. It presented extraordinary difficulties and tribulations. Missionaries, merchants and adventurers contributed greatly to the completion of this task. Champlain, Radisson, Grosillieres, Lasalle, La Verendrye, the Fathers Breboeuf, Lallemand and Marquette are names of French explorers that bring to mind deeds of great courage and devotion.

long des côtes, en des endroits où il y avait peu de rivières incitant à s'aventurer plus à l'intérieur du pays. En bordure de l'océan se trouvaient des montagnes au-delà desquelles nul ne savait ce qu'il y avait et que nul n'osait franchir.

L'exploration du continent par les Français se divise en quatre phases. En premier lieu, le Saint-Laurent fut exploré sur toute sa longueur, ainsi que la région des Grands Lacs : lac Ontario, lac Huron, etc. Ensuite, ce fut le Mississipi qui fut exploré sur toute sa longueur, ainsi que la région allant de la Floride jusqu'au golfe du Mexique. Lors de la troisième phase, on essaya d'atteindre la Baie d'Hudson, où les fourrures se trouvaient en abondance. Enfin, des reconnaissances furent faites en direction de l'ouest du Canada, dans les régions qu'occupent actuellement les provinces du Manitoba, de l'Alberta, de la Saskatchewan et de la Colombie Britannique.

L'exploration du Canada dura tout un siècle ; elle fut en butte à d'énormes difficultés et connut nombre de tribulations. Les missionnaires, les marchands et les aventuriers contribuèrent énormément aux succès finalement obtenus. Champlain, Radisson, des Groseillers, de la Salle, La Vérendrye, les Pères Brébeuf, Lallemand et Marquette figurent parmi les plus fameux explorateurs canadiens. Ils accomplirent leur tâche grâce à leur zêle et à leur courage.

LA SALLE

A YOUNG Frenchman, Rene Robert Cavalier Sieur de la Salle, was one of the greatest explorers of the North American continent. Many landmarks in the United States and Canada were named after him. La Salle more than earned this honour. Born of rich parents, in the city of Rouen, France, he was clever, robust, and patriotic. Because of his shyness and quick temper, he gave the impression of being proud and aloof, and this gained him few friends. He came to Canada at the age of twenty-three and settled near Montreal, in the vicinity of present-day Lachine.

The city of Lachine did not get its name through accident. It is said that when La Salle first came to his farm and saw the sunset reflected in many coloured hues in the waters of the St. Lawrence, he made a resolution to reach China, exclaiming: "A La Chine!" At that time it was supposed that the St. Lawrence cut across the continent, and reached right into China. This is how the City of Lachine got its name.

La Salle did not remain on his settlement very long. His adventurous spirit gave him no rest. He soon sold the farm and set out to explore regions hitherto unknown. His patriotism also prompted him to be helpful in expanding the colonial Empire of France, and he decided to find the mouth of the Mississippi, where he planned to establish French bases.

In the autumn of 1678, accompanied by a crew of sixteen, La Salle reached the Falls of Niagara. It was the first time that white men set their eyes upon this now famous waterfall.

In the winter of the same year, La Salle built a ship for his trading expeditions, and sailed on Lake Erie, Lake Huron, and Lake Michigan. In payment of his debts, he supplied his creditors with boatloads of precious pelts, while he continued to explore the continent.

Soon, however, hazards and misfortunes overtook him. His ship was lost in a storm, six members of his crew deserted, and he was forced to return to Montreal. Part of the journey had to be made on foot through wild and treacherous terrain.

One year and a half later La Salle set out once again on his explorations. This time, after four years of arduous travel, he succeeded in finding the mouth of the Mississippi, where the river empties into the Mexican Gulf. La Salle honoured the King of France by naming the entire territory, through which the Mississippi flows, Louisiana. At the mouth of the river he erected a large cross, bearing the inscription: "Louis the Great, King of France and Navarre, April 9, 1682."

La Salle returned to Canada and later went back to Europe, where

CAVALIER DE LA SALLE

UN jeune Français, Cavalier de la Salle, figure parmi les plus grands explorateurs du Canada et de l'Amérique du Nord. Plusieurs sîtes de notre pays et des Etats-Unis lui rendent l'hommage de porter son nom.

De la Salle a bien mérité cet honneur. Né à Rouen, de parents riches, il était intelligent, robuste et patriote au vrai sens du mot. A la fois timide et impétueux, il donnait l'impression d'être fier et hautain, ce qui lui valut peu d'amis. Arrivé au Canada en 1666, à l'âge de 23 ans, il s'établit à Montréal, à proximité de l'endroit que nous connaissons actuellement comme Lachine.

Ce nom de "Lachine" n'est pas dû à un accident. On raconte que de la Salle, à son arrivée à la ferme qu'il devait occuper, admira le soleil couchant reflété dans l'eau du fleuve Saint-Laurent. Charmé par les effets de couleurs, il résolut soudain de poursuivre ses voyages jusqu'en Chine, s'exclamant: "A la Chine". On croyait à l'époque, que le fleuve Saint-Laurent traversait tout le continent pour aboutir en Chine. Voilà comment le nom de "Lachine" a subsisté jusqu'à nos jours.

De la Salle ne resta pas longtemps en place. L'esprit d'aventure le reprit; aussi, vendit-il sa ferme pour s'acheminer ensuite vers les régions inexplorées. Son patriotisme le poussant à augmenter le patrimoine de la France, il se mit à la recherche de l'embouchure du Mississippi où il désirait établir des bases françaises.

L'automne de l'année 1678, accompagné d'un équipage de 16 hommes, de la Salle atteignait les chutes du Niagara. C'était la première fois qu'il était donné à des hommes blancs de contempler ces chutes désormais célèbres.

Au cours de l'hiver de la même année, de la Salle construisit un bateau destiné au commerce des fourrures, puis il se rendit aux lacs Erié, Huron et Michigan. Afin de régler ses dettes, il faisait parvenir à ses créanciers des cargaisons entières de fourrures précieuses; pour sa part, il continuait d'explorer le continent.

Toutefois, il dut bientôt faire face à de grandes difficultés; son bateau sombra lors d'une tempête et six des membres de son équipage le désertèrent. Sans équipage suffisant pour renflouer le bateau, de la Salle se vit forcé de retourner à Montréal, faisant une grande partie du voyage à pied à travers des régions sauvages.

Un an et demi plus tard, de la Salle repartit en expédition. Cette fois, après quatre ans de labeur incessant et d'efforts soutenus, il réussit à atteindre l'embouchure du Mississippi, à l'endroit où le fleuve se jette dans le golfe du Mexique. En honneur au roi de France, il donna le nom de Louisiane à toute la contrée bordant le fleuve. A l'embouchure, il érigea une grande croix portant l'inscription "Louis le Grand, Roi de France et de Navarre" — 9 avril 1682".

De la Salle retourna au Canada et plus tard en France, où il fut reçu royalement. Le roi fut très généreux à son égard et lui donna la

he received a truly royal welcome. The King was very well disposed towards La Salle and allowed him to build a colony at the mouth of the Mississippi. The King of France waited a long time for this opportunity. Spain ruled Mexico at that time and did not allow any foreign ships into the Mexican Gulf. With a colony at the mouth of the Mississippi, Spanish control of the Gulf of Mexico would be broken. The task of building this colony fell to La Salle.

Unfortunately the journey back to the mouth of the Mississippi by the direct route of the Mexican Gulf was indeed a tragic one. One of the ships was captured by pirates; another one had to sail back for France because of the lack of provisions; the remaining ships, unable to find the mouth of the Mississippi, plied back and forth without success, having overshot the mark by some 400 miles. The region was warm and swampy. Within a short time many of the would-be colonists took ill and died.

Months went by and the expedition was still unable to find the mouth of the Mississippi. Supplies continued to diminish while illness and death were constant companions of La Salle and his men. Violent internal quarrels added to the gravity of the situation. La Salle's temperament did not help matters. He was accused by the colonists of having led them to certain death, and finally realized that all was lost unless he could get help from Canada.

Dividing the expedition into two parts, La Salle left with one group for Canada in January 1687. Three months later he was killed by his companions. Only seven members of his crew survived to tell about the tragic expedition.

La Salle lived on the new continent for twenty years. He pursued his explorations incessantly until his death. In spite of his tragic end and the death of his companions, La Salle's work had not been in vain. Those who followed in his footsteps achieved success. La Salle's name has become a symbol of high courage and endurance. He remains in the annals of Canadian history as an explorer without an equal.

permission de fonder une colonie à l'embouchure du Mississippi. Le roi de France avait attendu bien longtemps cette occasion ardemment souhaitée, car, l'Espagne, qui régnait sur le Mexique, ne laissait pénétrer aucun navire étranger dans le golfe du Mexique. Avec une colonie française à l'embouchure du Mississippi, le contrôle espagnol sur le golfe du Mexique disparaîtrait. C'est à de la Salle qu'incomba la tâche de fonder cette colonie.

Malheureusement, le voyage de retour vers l'embouchure du Mississippi fut tragique. On fit route directement à travers le golfe du Mexique. L'un des bateaux de l'expédition fut capturé par des pirates, un autre fut obligé de rentrer en France faute de vivres; les bateaux qui restaient, naviguaient de long en large, incapables de retrouver l'embouchure du fleuve. Ce fut peine perdue, ils avaient manqué leur but d'environ 400 milles. La région où ils se trouvaient était chaude et marécageuse; bientôt, un grand nombre des futurs colons tombèrent malades et moururent.

Les mois s'écoulaient sans qu'on parvint à trouver l'embouchure du Mississippi. Les provisions diminuaient de jour en jour, la mort et la maladie devinrent de constants compagnons. Pour comble de malheur, des querelles s'élevèrent qui envenimèrent encore la situation. Le tempérament de Cavalier de la Salle n'était pas de nature à apaiser les esprits. Les colons l'accusèrent de les mener vers une mort certaine et, finalement, de la Salle se rendit compte que tout était perdu, que le seul remède était d'obtenir de l'aide du Canada.

De la Salle divisa l'expédition en deux groupes et partit avec l'un d'eux en janvier 1687. Trois mois plus tard, il était tué par ses compagnons de voyage. Six d'entre eux réussirent à s'enfuir. On leur doit le récit de la fin tragique de l'expédition.

De la Salle avait vécu pendant 20 ans sur le nouveau continent. Il n'avait jamais cessé d'aller de l'avant dans ses explorations. Malgré sa mort et celle de ses compagnons, il n'avait pas travaillé en vain. D'autres vinrent qui poursuivirent son œuvre avec succès. Le nom de la Salle est devenu synonyme de courage et d'endurance; il demeurera dans les annales de l'histoire du Canada, comme celui d'un explorateur hors pair.

PIERRE RADISSON

ONE of the most outstanding figures associated with romantic adventure in the early days of French Canada was the fur trader and adventurer, Pierre Radisson. The story of his life and work in terms of achievement far surpasses the bounds of ordinary adventure.

Pierre Esprit, Sieur de Radisson, was born in the town of St. Malo in France. He came to Canada with his parents when he was fifteen years old. The Radisson family settled in the village of "Three-Rivers."

One spring morning, Pierre and two friends set out on a hunting trip. Even though they had been warned that Indians were in the area, the boys paid no heed to the warnings. Pierre's friends were somewhat frightened, however, and did not venture too far, but Pierre, who did not know the meaning of fear, penetrated deep into the woods, where he passed the day hunting.

At about four o'cock in the afternoon, he started for home. Suddenly, as he was approaching the village, he saw, lying across his path, the bodies of his two friends who had been murdered by Indians. Pierre, realizing the danger that he was in, started running towards the village. Bullets were whistling above his head, and within a few minutes he was captured by the Indians.

We shall never know why the Indians spared Pierre's life; was it because of his youth, his good looks or his courage? They were amazed that such a young boy had dared to go out hunting, knowing full well that danger loomed everywhere.

The Indians grew very fond of their prisoner. He was even adopted by the tribe and named Arimha, which means a stone — Pierre.

Although Pierre got along well with the Indians, he still longed for home. He attempted to run away, but was recaptured. The Indians wanted to punish him with death for treason, but his adoptive parents pleaded that his life be spared. Instead, he was tortured for three days. He was forced to run barefoot over hot, glowing stones, his skin was lacerated and he was subjected to other terrible ordeals.

Forced to remain among the Indians, Radisson did not abandon his hopes of escape. A year later he ran away once more, and reached a white settement, at the place where Albany stands today. With the aid of a priest, he reached the port of New Amsterdam, the present day City of New York.

From New York he set sail for France, and later returned to Canada. When his parents saw him again in 1654, two years after his disappearance, they regarded his homecoming as a miracle. Upon his return, Pierre found his eldest sister married to Sieur de Groseilliers.

PIERRE RADISSON

PIERRE Radisson, marchand de fourrures et aventurier, coureur des bois par excellence, est l'un des personnages associés aux aventures romanesques des débuts de la colonie. L'histoire de sa vie et le travail qu'il accomplit dépasse de loin les limites normales des exploits d'un simple aventurier.

Pierre Esprit, Sieur de Radisson naquit à Saint-Malo, en France, et émigra au Canada avec ses parents, à l'âge de 15 ans. La famille Radisson s'installa dans le village de Trois-Rivières.

Par un clair matin de printemps, Pierre et deux de ses amis, partirent à la chasse. Bien qu'avertis de la présence d'indigènes dans les parages, les jeunes garçons ne s'en soucièrent pas. Les amis de Pierre craignaient de trop s'éloigner, mais Pierre, qui ne connaissait pas la peur, pénétra plus profondément dans les bois et passa la journée à chasser.

Vers 4 heures de l'après-midi, il prit le chemin du retour. Tout à coup, à l'approche du village, il aperçut en travers du chemin le corps de ses deux jeunes amis, massacrés par les Indiens. Voyant qu'un danger imminent le guettait, il se mit à courir vers le village. Aussitôt, les balles sifflèrent autour de sa tête et, quelques instants plus tard, les Indiens le capturaient.

Nous ne saurons jamais pourquoi les Indiens ne tuèrent pas Radisson. Etait-ce à cause de sa jeunesse, de sa beauté ou de son courage? Ils étaient sûrement surpris de voir un aussi jeune garçon oser s'aventurer seul dans les bois pour y chasser, bien qu'il sût fort bien le danger qui le guettait.

Les Indiens se prirent d'amitié pour leur prisonnier et il fut même adopté par la tribu, qui le surnomma "Arimha", c'est-à-dire Pierre.

Malgré l'amitié des indigènes, Radisson aspirait à rentrer chez lui, et il tenta de s'enfuir, mais fut aussitôt repris. Sa "trahison" aurait mérité la mort, mais ses parents adoptifs indiens plaidèrent pour qu'on lui laissât la vie sauve. Néanmoins, il fut torturé pendant trois jours, sans répit. On le força à courir, pieds nus, sur des pierres chauffées à blanc, on lui lacéra la peau et on lui fit subir maintes autres tortures.

Forcé de demeurer avec les Indiens, Radisson ne vivait que dans l'espoir de pouvoir s'enfuir. Un an plus tard, il y réussit finalement et aboutit chez un colon habitant l'endroit où se trouve actuellement Albany. Un prêtre catholique l'aida à atteindre le port de New Amsterdam, qui, de nos jours, s'appelle New York.

Il s'embarqua pour la France et de là repartit pour le Canada. Lorsque ses parents le revirent en 1654, deux ans plus tard, ils crurent à un miracle. De retour au foyer, il retrouve sa soeur aînée mariée au Sieur des Groseillers, qui lui aussi, avait l'esprit d'aventure. Les deux jeunes gens s'associèrent et devinrent renommés comme explorateurs et marchands de fourrures. Radisson et des Groseillers demandèrent aux autorités la permission de trafiquer avec les indigènes du nord-ouest du

His brother-in-law also had a great love for adventure. The young men formed a partnership, and became famous as outstanding fur traders and explorers. Radisson and Groseilliers asked the Government authorities at Quebec that they be allowed to trade with the Indians in the northwestern part of the country. The request was granted on condition that they turn over to the Government one half of their profits. Radisson and de Groseilliers vowed not to submit to this condition, and, evading the authorities, set out secretly on their own. They were away for a year. It was a year of infinite hardships. Hostile Indians and hunger in the snow covered wilderness threatened constantly their existence. They were nevertheless the first white men to reach "Hudson's Bay" by the dry land route.

Radisson and de Groseilliers returned to Three Rivers with a flotilla of three hundred and sixty canoes, all loaded with furs. The Quebec authorities had never forgiven them for setting out on a trading expedition without permission, and as punishment, ninety percent of their goods were confiscated. Stunned and enraged at such treatment, Radisson and de Groseilliers set sail for France to seek justice. However, they accomplished nothing there. Disillusioned, the two young men decided to offer their services to the English.

The British monarch received them well and commissioned his cousin, Prince Rupert, to outfit an expedition which would establish trade in the Hudson Bay area. In 1670 a trading company was founded, with Prince Rupert as its chief. The world famous company is known to this day as the Hudson's Bay Company.

King Charles II gave the company a charter, granting it absolute rights over a very large territory, which encompassed almost the whole of present day Canada, except the Maritimes, and the St. Lawrence Valley. The Hudson's Bay Company exercised great influence in Canadian history for over two hundred years. Its power began to fade only in 1867, when Canada became a British Dominion.

Because of a disagreement that he had had with several directors of the company, Radisson rejoined the French, but returned to the English before very long. He married an English girl, the daughter of a leading official in the Hudson's Bay Company.

Thus it was that one of the greatest of British Companies was organized by the Frenchman, Pierre Radisson, whose restless spirit and great courage had helped unveil the road to vast undiscovered Canadian regions.

pays. Leur demande fut acceptée à condition qu'ils remettraient 50% de leurs bénéfices au gouvernement. Radisson et des Groseillers jurèrent de ne pas se soumettre à cet abus. Ils partirent clandestinement et ils restèrent partis pendant un an, au cours duquel ils rencontrèrent d'énormes difficultés. Les Indiens et la faim étaient des dangers constants dans ces vastes étendues recouvertes de neige. Il réussirent cependant à atteindre, les premiers, la baie d'Hudson, par voie de terre.

Radisson et des Groseillers retournèrent finalement à Trois-Rivières, rapportant une flottille de 360 canots, lourdement chargés de fourrures. Le gouvernement de Québec ne leur avait jamais pardonné d'être partis faire le commerce des fourrures sans permission et, comme punition, 90% des fourrures qu'ils avaient ramenées furent confisquées. Outrés et furieux d'être traités de cette façon, ils se mirent tous deux en route pour la France afin d'obtenir justice. Ils ne réussirent pas à obtenir gain de cause. Désillusionnés, les deux jeunes gens décidèrent d'offrir leurs services aux Anglais.

Le monarque britannique les reçut avec sympathie et demanda à son cousin, le prince Rupert, de préparer une expédition en vue d'établir le commerce des fourrures dans la région de la baie d'Hudson. En 1670, une compagnie fut formée ayant le prince Rupert comme administrateur en chef. Cette compagnie, de renommée mondiale, est encore connue de nos jours sous le nom de Compagnie de la baie d'Hudson.

Le roi Charles II offrit une charte à cette compagnie, lui donnant ainsi plein pouvoirs sur un territoire immense, comprenant presque toute la superficie du Canada actuel, excepté les Maritimes et la vallée du Saint-Laurent. La compagnie de la baie d'Hudson exerça une influence considérable sur les destinées du Canada pendant plus de deux siècles. Sa puissance ne commença à décliner que lorsque le Canada devint un dominion britannique en 1867.

Après une dispute avec quelques directeurs de la compagnie, Radisson rejoignit de nouveau les Français, mais ce ne fut pas pour longtemps. Bientôt, il retourna chez les Anglais. Il épousa une Anglaise, fille d'un des plus hauts personnages de la compagnie.

Ainsi, l'une des plus importantes compagnies britanniques fut organisée par un Français. Pierre Radisson, grâce à son esprit d'aventure et à son courage, ouvrit la voie menant vers les régions inexplorées du Canada.

LA VERENDRYE — THE FIRST CANADIAN — BORN EXPLORER OF CANADA

PIERRE Gauthier La Verendrye de Varennes was the first and greatest Canadian-born explorer. It is to him and to his sons that we owe highly merited recognition for opening up the frontiers of the great Canadian Prairies, the territory known today as Manitoba, Saskatchewan and Alberta.

La Verendrye was born in 1685 in the village of Three Rivers. His father was the governor of the village. At the age of twelve he joined the army. He participated in battles which frequently occurred at the time between the English and the French forces. On reaching the age of 21, he sailed for France, where he enlisted in the French army and saw action in various campaigns. In 1709, he was found severely wounded on the battlefield of Malpaquet. La Verendrye returned to Canada to regain his health. He married, settled down on a small island near Three Rivers, and became a fur trader.

The fur trade was carried on mainly with the Indians, who brought their furs to established trading posts, which were widely scattered over the country. La Verendrye was appointed as an overseer of one such important, but out of the way trading post, situated on Lake Nippigon.

La Verendrye heard stories from the Indians about a great river which cuts through Western Canada and flows into a salt water sea. Disregarding the danger and hardships that an expedition might hold in store for him, La Verendrye decided to set out in search of this sea.

With financial aid given by several fur traders and with the permission of the Governor of Canada, he left Montreal on the 8th of June, 1731, with a fleet of more than fifty canoes, accompanied by his three sons and his nephew.

The journey was long and difficult. La Verendrye nevertheless succeeded in establishing new trading points, where he erected forts. He traded with hitherto unknown to him Indian tribes, from whom he bought furs, which were shipped to Montreal.

La Verendrye's expedition proceeded slowly. He was forced to continue sending goods to Montreal or his creditors would not help him. Stopping by himself to set up trading posts, he sent his sons forward, along with a small party, to carry on further explorations.

In 1733, two years after his departure from Montreal, La Verendrye was forced to return in order to convince his creditors that additional aid should be extended to him. His supplies had run out, and without help he would have been forced to give up his undertaking.

On his way back from Montreal, La Verendrye learned that one of his sons had been killed by the Indians, and that his nephew had died.

LE PREMIER EXPLORATEUR CANADIEN — LA VERENDRYE

PIERRE Gauthier La Vérendrye de Varennes fut le premier et le plus fameux des explorateurs canadiens. C'est à lui et à ses fils que revient l'honneur d'avoir franchi les frontières de la région des Prairies, territoires que nous connaissons aujourd'hui sous les noms de Manitoba, Saskatchewan et Alberta.

La Vérendrye naquit en 1685 dans le village de Trois-Rivières dont son père était le gouverneur. A l'âge de 12 ans, il s'engagea dans l'armée et prit part à plusieurs batailles entre les troupes françaises et anglaises, batailles fréquentes à cette époque. Lorsqu'il eut atteint 21 ans, il s'embarqua pour la France et s'engagea dans l'armée française où il combattit maintes fois. En 1709, le corps lacéré et couvert de blessures, il fut trouvé sur le champ de bataille de Malplaquet. La Vérendrye retourna au Canada afin de se remettre de ses blessures et peu après se maria et s'installa sur une petite île près de Trois-Rivières où il devint marchand de fourrures.

Ce commerce se faisait principalement avec les Indiens qui venaient vendre leurs fourrures aux différents postes de commerce établis à travers le pays. La Vérendrye fut nommé inspecteur de l'un de ces postes, située près du lac Nippigon, comptoir de commerce important mais complètement isolé.

Des Indiens lui apprirent l'existence d'une grande rivière traversant l'ouest du pays et se jetant dans une mer d'eau salée. En dépit du danger et des difficultés d'une telle expédition, La Vérendrye décida de partir à la recherche de cette mer.

Ayant obtenu l'appui financier de quelques marchands de fourrures et la permission du Gouverneur du Canada, il quitta Montréal le 8 juin 1731, avec ses trois fils, son neveu, et accompagné de quelques hommes et de plus de 50 canots.

Le voyage fut long et difficile mais ils réussirent cependant à établir de nouveaux postes de commerce et à construire des forts, tout en nouant des relations commerciales avec de nouvelles tribus d'Indiens. Ceux-ci vendaient des fourrures que La Vérendrye expédiait à Montréal.

L'expédition n'avançait que lentement ; La Vérendrye était forcé de s'arrêter pour acheter des fourrures et les envoyer à Montréal, faute de quoi il perdrait l'appui de ses créanciers. Habituellement, il s'arrêtait et laissait ses fils aller de l'avant avec une partie du groupe pour continuer l'exploration.

En 1733, deux ans après avoir quitté Montréal, il fut obligé de rebrousser chemin afin de convaincre ses créanciers de lui accorder une plus grande aide financière. Sans appui financier, il ne pouvait pas poursuivre l'exploration, car les provisions étaient épuisées.

Lors de son voyage de retour pour rejoindre l'expédition, il apprit que son neveu était mort et que l'un de ses fils avait été tué par les In-

The news did not deter him, however, and he vowed that he would die rather than abandon his plans.

In 1738 he erected the trading post of Fort Rouge, the site of present day Winnipeg. He again heard about a route leading to the sea and wasted much time and effort trying one direction after another to find this route. Apparently the information given by the Indians proved to be incorrect.

His creditors in Montreal were complaining that the quantity of furs that he was sending them was insufficient to cover the costs of his expedition. The fur traders were not interested in exploration, it was the fur trade that mattered. La Verendrye was finally forced to return to Montreal at the Governor's request.

In 1742 La Verendrye sent his two sons to continue with the exploration. They reached the Rocky Mountains, but could not advance, because the Indians refused to accompany them any farther.

La Verendrye had to cope with great financial problems during the last years of his life. But, in spite of his advanced age, he did not stop trying to interest people in his plans for the exploration of Canada. A ray of hope appeared through the darkness — the outfitting of a new expedition was begun. La Verendrye was then sixty-four years old. He died before the expedition got under way.

La Verendrye received no recognition for his endeavours during his lifetime and died a ruined and broken man. He suffered much in attempting to reach his goal. He hacked his way through the great Canadian West, adding to the knowledge about the unexplored continent.

La Verendrye was one of those devoted pioneers who built the country, and sacrificed his life in pursuit of his life's task.

diens. Ces tristes nouvelles n'ébranlèrent pas son intention de poursuivre ses projets et il jura préférer mourir plutôt que de renoncer à son dessein.

En 1738, il érigea un comptoir de commerce nommé Fort Rouge, à l'endroit où se trouve maintenant Winnipeg. Les Indiens lui parlaient toujours d'une route menant vers la mer; aussi, dépensa-t-il beaucoup de temps et d'énergie essayant de la découvrir, mais ce fut peine perdue. Apparemment, les renseignements fournis par les Indiens était faux.

A Montréal, les créanciers prétendaient que la valeur des lots de fourrures expédiés par La Vérendrye ne suffisait pas à couvrir les frais de l'expédition. Les marchands de fourrures n'étaient évidemment pas intéressés aux explorations: pour eux, seul le commerce comptait. Finalement, le gouverneur força La Vérendrye à rentrer à Montréal.

En 1742, il envoya ses deux fils au Canada en vue de poursuivre les explorations et ceux-ci réussirent à atteindre les Montagnes Rocheuses. Ils furent malheureusement forcés d'abandonner à cet endroit, car les Indiens refusaient d'aller plus loin.

La Vérendrye fut en butte à de grandes difficultés financières au cours des dernières années de sa vie, mais malgré son âge, il ne cessa de propager ses idées et d'intéresser de nombreuses personnes à l'exploration du Canada. Une lueur d'espoir apparut au milieu de l'apathie générale — on commença des préparatifs en vue d'une nouvelle expédition. La Vérendrye, alors âgé de 64 ans, mourut avant le départ de l'expédition projetée.

Les efforts de La Vérendrye ne furent pas reconnus de son vivant et il mourut ruiné. Dans des conditions très dures, il était parvenu à se frayer un chemin dans le grand ouest canadien encore inexploré et il y avait favorisé la traite des fourrures.

La Vérendrye fut l'un de ces pionniers dévoués qui participèrent à l'essor de notre pays, sacrifiant toute une vie à la poursuite d'un idéal.

THE FIRST ANGLO-FRENCH WAR ON AMERICAN SOIL

EVERY war has a beginning which is not necessarily related to the official declarations of the belligerents.

Officially, Canada passed from French to English rule as a result of the Seven Years War between England and France which took place from 1756 to 1763. Unofficially, however, the conflict for the possession of the North American continent was waged over a period of one hundred and fifty years, dating back to the time when England and France first set foot in America.

On a nice summer day, in the year 1604, a small French sailing vessel was navigating along the shore now known as Nova Scotia. The group of men travelling aboard this vessel viewed the lovely panorama with obvious pleasure. This was one of many vessels which were sent from time to time by European powers to explore the new continent. The leader of this expedition was a French nobleman, Pierre De Monts. Standing on the bridge of the ship, he held in his hands a rolled up document, signed by King Henry IV, of France. The document showed that the King granted Pierre De Monts all North American territories between the 40th and 46th parallel.

At the same time, King James I of England issued a similar document to a privately owned commercial association known as the Virginia Company. His gift to the Virginia Company consisted of North American territory between the 34th and 45th parallel.

The frontiers of these territories cut into each other, and England regarded France as a usurper of its proper rights, while France held a directly opposite view. This situation brought about the conflict between the two powers, although they were at peace in Europe.

Both powers slowly attempted to colonize the New World. In the year 1613 a small group of Frenchmen settled on the island of Mont Desert, where one could see four white tents and a large wooden cross. The group consisted mainly of missionaries, who had come to convert the Indians to Christianity. Shortly after its establishment, the colony experienced the first military attack which was launched against it by the English. Dale, the Governor of Virginia, an English colony some eight hundred miles south of this island, ordered one Argall, to destroy any French colonies found in this part of the North American territory.

Argall, with a small, but well-armed vessel, approached the Island. The French colonists were unprepared for battle and he encountered only slight resistance on the part of the few colonists who were on the island. He took away their only boat. Some of the colonists were killed in the fighting. With fourteen prisoners and the booty, Argall went back

LA PREMIERE GUERRE ANGLO-FRANCAISE EN AMERIQUE

TOUT conflit a un début qui n'est pas toujours relié à la déclaration de guerre.

Officiellement, le Canada passa de la France à l'Angleterre à la suite de la guerre de Sept Ans qui mit les deux pays aux prises de 1756 à 1763. Officieusement, le conflit pour la possession du continent américain s'étendit sur une période de 150 ans, datant de l'époque où l'Angleterre et la France abordèrent en Amérique pour la première fois.

En 1604, par un beau jour d'été, un petit voilier français naviguait le long des côtes de la Nouvelle-Ecosse actuelle. Du pont de ce voilier, quelques hommes admiraient le paysage qui s'offrait à eux. Ce bateau faisait partie d'une des nombreuses expéditions venant d'Europe et faisant route vers le nouveau continent à des fins d'exploration. Le chef de cette expédition, Pierre de Monts, était un gentilhomme français. Il se tenait sur le pont du bateau, tenant entre ses mains un parchemin roulé, signé par Henri IV, roi de France, lui remettant tous les territoires situés entre les 40e et 46e parallèles de l'Amérique du Nord.

En même temps, le roi James I d'Angleterre remettait un document semblable entre les mains d'une entreprise commerciale privée de la Virginie. Il faisait don à cette compagnie de tous les territoires nord-américains situés entre les 34e et 45e parallèles.

Les deux frontières empiétaient l'une sur l'autre; l'Angleterre accusa la France d'usurper ses droits, tandis que la France accusa l'Angleterre de s'être accaparée des territoires français. Ce litige fut le début du conflit entre les deux puissances qui se déclarèrent la guerre sur le sol du nouveau continent, alors qu'elles étaient en paix en Europe.

Lentement, les deux puissances tentèrent de coloniser le Nouveau Monde. En 1613, un petit groupe de Français s'établit sur l'île du Mont Désert: on pouvait y voir quatre tentes blanches et une grande croix de bois. La majorité du groupe consistait en missionnaires venus convertir les Indiens au christianisme. Peu de temps après son établissement, la petite colonie subit la première attaque militaire anglaise. Dale, gouverneur de la Virginie, colonie anglaise située à environ 800 milles au sud de l'île, donna l'ordre à un certain Argall, de détruire toutes les colonies françaises de cette partie de l'Amérique du Nord.

A l'aide d'un petit bateau bien armé, Argall s'approcha de l'île. Il ne rencontra qu'une faible résistance de la part des quelques colons qui se trouvaient sur l'île et qui ne purent que s'incliner devant la majorité écrasante des Anglais. Les Anglais s'emparèrent de l'unique bateau, tuèrent un certain nombre de colons, firent 14 prisonniers et repartirent pour la Virginie, emportant un large butin. Le gouverneur de la Virginie fut très satisfait de cette victoire; sans hésitation, il nomma Argall commandant d'une flottille de trois bateaux et lui donna l'ordre de s'emparer d'une autre colonie, Port-Royal.

Port-Royal, petite colonie française fondée en 1605 et située un peu

to Virginia. The Governor was pleased with the victory and gave Argall, without any hesitation, command of three ships to be used in the destruction of another French colony, Port Royal.

Port Royal, a small French colony, founded in 1605, lay somewhat to the North of Mont Desert Island, on the Nova Scotia Peninsula. At the time when Argall prepared his attack, the colony was relatively prosperous. Its soil was good and the colonists were well established. It was not difficult for Argall to capture Port Royal. He arrived there late in the summer, at harvest time, when the population was busy working in the fields, several miles away from their homes. Argall entered the city without encountering any resistance. His men slaughtered the domestic animals, looted the houses, and set fire to the colony. After this, they invaded the fields, destroying the crop that was ready to be harvested. Unable to defend themselves, the colonists escaped with their lives, watching helplessly from a distance the destruction of their possessions.

This was the first armed conflict between England and France on the North American continent, a conflict that was to continue for one hundred and fifty years, until the capitulation of Quebec City in 1759, when Canada came under English rule.

au nord de l'île du Mont Désert, sur la péninsule de la Nouvelle-Ecosse, était relativement prospère à cette époque. La terre y était fertile et la plupart des colons y étaient établis comme cultivateurs. La prise de Port-Royal se fit sans difficultés. Argall attaqua vers la fin de l'été, à l'époque des moissons. Alors que les habitants travaillaient aux champs, à quelques milles de leurs habitations, Argall entra dans la ville par surprise et sans rencontrer de résistance. Les troupes d'Argall massacrèrent tout le bétail, pillèrent les maisons, y mirent le feu et détruisirent toutes les récoltes. Dans l'impossibilité de se défendre contre les envahisseurs, les colons assistaient de loin, dans les bois où ils s'étaient réfugiés, à la destruction de toutes leurs possessions.

Ce fut le premier conflit armé entre l'Angleterre et la France sur le continent nord-américain, le premier d'une guerre sans répit qui ne cessa que 150 ans plus tard, lors de la capitulation de la cité de Québec, alors que l'Angleterre prenait possession de tout le Canada.

THE FIRST CIVIL WAR IN CANADA

LE Mons is a small village situated about one hundred miles from Paris. In 1638 an emissary by the name of Desjardins arrived there on a rather unusual mission which had been entrusted to him.

Desjardins was to convey a marriage proposal to the beautiful and clever Marie Jacqueline on behalf of his master, Charles de la Tour, who lived in far away Canada. Marie had never met Charles de la Tour, nor had she ever heard of him, and Desjardin's proposal did indeed sound strange to her. But she learned that de la Tour was a French nobleman, well established in Canada, who had sent Desjardins to find him a beautiful bride, and that she had been chosen because of the high praise that everyone had for her. This was why Desjardins decided to make the proposal in his master's name.

With the help of God, Marie Jacqueline departed three months later for Canada, to become Madame Charles de la Tour.

Who, then was Charles de la Tour?

At one time the Peninsula of Nova Scotia was known as Acadia. In the early days of Canadian history the area served as a battle ground between England and France. Having been occupied in turn by the English and the French, the territory was finally ceded to France in 1632, in accordance with the terms of the treaty of St. Germain en Laye, signed jointly by the two powers.

Charles de la Tour and his father, Claude de la Tour, were members of the French nobility who had been forced to leave France because they were Huguenots. Having lost their fortunes in the religious wars, they took refuge in Canada at the beginning of the seventeenth century and settled in Port Royal, the first French colony on North American soil.

In 1613 Port Royal was destroyed by a British Army, headed by Captain Argall. Charles de la Tour was once again forced to flee, and decided to build a fort in a more secure place.

He selected the territory at the mouth of the St. John river, ideally located for trading in furs with the Indians. Charles de la Tour was appointed Lieutenant Governor of this colony.

In 1632, when France became once more the ruler of Acadia, the French Government appointed Isaac Razili to head the colony. Razili was accompanied by sixty families who settled in the "old" Port Royal. Thus the two colonies of Port Royal and Saint John were founded.

After Razili's death his post was filled by his former assistant, D'Olney Charnissey. Between de la Tour and Charnissey there arose bitter animosity, which led to the first civil war in Canada.

The causes of the conflict were quite simple. Both de la Tour and Charnissey were feudal lords, who had been given large grants of land,

LA PREMIERE GUERRE CIVILE AU CANADA

LE Mans est un petit village situé à environ 100 milles de Paris. En 1638, un envoyé du roi nommé Desjardins, arrivait dans ce village pour se mettre aussitôt en devoir d'accomplir la mission particulière qui lui avait été confiée.

Il s'agissait de remettre à une belle et intelligente jeune fille, du nom de Marie Jacqueline, une demande en mariage de la part du maître de Desjardins, Charles de la Tour, qui habitait le Canada. Marie Jacqueline n'avait jamais rencontré, ni même entendu parler de Charles de la Tour; il va sans dire que cette proposition lui sembla étrange. Mais Desjardins lui apprit que de la Tour était un gentilhomme français établi au Canada, qui l'avait envoyé à la recherche d'une belle jeune femme pour en faire son épouse, et que son choix s'était porté sur Marie Jacqueline dont il avait entendu parler et dont on disait beaucoup de bien. C'est pourquoi Desjardins venait faire cette proposition au nom de son maître.

Trois mois plus tard, le ciel aidant, Marie Jacqueline partait pour le Canada afin de devenir Madame Charles de la Tour.

Qui était ce Charles de la Tour?

A l'époque, la péninsule de la Nouvelle-Ecosse portait le nom d'Acadie. Au début de l'histoire du Canada, cette région servit de champ de bataille aux Anglais et aux Français. Après avoir, tour à tour, connu un régime français puis anglais, l'Acadie fut finalement cédée à la France, en 1632, d'après les termes du traité de Saint-Germain-en-Laye, signé conjointement par les deux puissances.

Charles de la Tour, ainsi que son père, Claude de la Tour, appartenaient à la noblesse française; ils avaient quitté leur pays parce qu'ils étaient Huguenots. Réfugiés au Canada au début du 17e siècle, ayant perdu toute leur fortune lors des guerres de religion, ils s'établirent à Port-Royal, la première colonie française en Amérique du Nord.

En 1613, Port-Royal fut détruit par l'armée britannique, commandée par le capitaine Argall. Une fois encore, Charles de la Tour fut forcé de partir, et il résolut de construire un fort à un endroit plus propice.

Il opta pour l'embouchure de la rivière St-Jean, idéalement située pour la traite des fourrures avec les Indiens. Charles de la Tour fut nommé lieutenant-gouverneur de cette colonie.

En 1632, lorsque la France gouverna de nouveau l'Acadie, le gouvernement français nomma Isaac Razili à la tête de la colonie. Razili était accompagné de 60 familles qui s'établirent dans le vieux Port-Royal. C'est ainsi que les deux colonies de Port-Royal et de St-Jean furent fondées.

Lorsque Isaac Razili mourut, il fut remplacé par son ancien assistant, D'Olney Charnissey. Une vive animosité s'éleva entre de la Tour et Charnissey; ce fut la cause de la première guerre civile au Canada.

Les raisons de leur différent étaient simples. Charles de la Tour,

which they had to administer and develop as colonies. They were also entrusted with the task of defending their lands. Consequently a great rivalry sprang up between the two landowners. Relations between them were aggravated further by their meager knowledge of the terrain entrusted to them. The French Government also helped confuse the issues by distributing the territories in such a manner that Charles de la Tour's outpost, St. John, was situated on Charnissey's land, while Port Royal, Charnissey's headquarters, was surrounded by de la Tour's estates.

Charnissey was ready to employ any methods in order to gain his ends. He slandered de la Tour before the French authorities at every opportunity. These constant slanderous criticisms bore fruit. The King recalled de la Tour to France and appointed Charnissey as governor.

De la Tour knew that his recall was the direct result of Charnissey's machinations. Return to France meant imprisonment or death; if he were to disobey the order, on the other hand, he would be accused of treason. De la Tour decided to resist.

Charnissey attacked de la Tour's fortress at St. John, but could not capture it. He then decided to lay siege to the Fortress and starve its defenders into submission. Meanwhile de la Tour slipped out of St. John and was on his way to Boston, where he intended to seek help from the British. The British did agree to help him, and when de la Tour returned one month later accompanied by British ships, the fort was still under siege. At the sight of the ships Charnissey decided to withdraw to Port Royal.

De la Tour's wife, Marie Jacqueline, played an important role in the battle. She left for France to seek aid there. Charnissey, who was also in France at the time, spread the news that de la Tour did not intend to carry out the King's commands. When Madame de la Tour arrived in France, she was forbidden to leave the country on pain of death. Not wishing to abandon her household she escaped to England, and sailed from there to Boston, where she succeeded in obtaining help, and later on rejoined her husband.

In the meantime the civil war continued. Once, while de la Tour was away on a trip to Boston, where he sought further aid and his wife was all alone at their home, Charnissey, aware of the situation, decided to take advantage of de la Tour's absence. He stormed St. John, and, this time, succeeded in capturing the fortess. Madame de la Tour was forced to surrender.

Charnissey promised Mme de la Tour that he would spare the lives of the fort's defenders, but did not keep his word, and, in Mme de la Tour's presence hanged twenty-five of de la Tour's soldiers. Madame de la Tour, broken in spirit, was dragged to Port Royal, where she died a few weeks later.

aussi bien que Charnissey, étaient des seigneurs féodaux, propriétaires d'énormes étendues de terre qu'ils administraient, où il devaient développer le commerce et établir la colonisation. Il leur incombait aussi la tâche de défendre leurs terres. Par conséquent, une grande rivalité s'établit entre ces deux seigneurs, aggravée par le degré d'ignorance qui régnait au sujet du pays à cette époque. Le gouvernement français porta la confusion à son comble lorsqu'il fut décidé de diviser le pays. Ceci fut fait de telle manière que le poste de Charles de la Tour à St-Jean se trouvait sur les terres appartenant à Charnissey, tandis que Port-Royal, quartier général de Charnissey, était sur le territoire de Charles de la Tour.

Charnissey était prêt à employer n'importe quel moyen pour obtenir la victoire, et, à chaque occasion, il calomniait Charles de la Tour auprès des autorités françaises. Ces critiques incessantes portèrent leurs fruits. Le roi rappela Charles de la Tour en France et nomma Charnissey en qualité de gouverneur.

Charles de la Tour savait que la situation précaire dans laquelle il se trouvait résultait des machinations de Charnissey. Retourner en France signifiait l'emprisonnement ou la mort; par contre, s'il n'obéissait pas aux ordres reçus, il serait accusé de trahison. De la Tour décida de se défendre.

Charnissey attaqua la forteresse de Charles de la Tour à St-Jean, mais il ne parvint pas à s'en emparer. Il pris alors la décision d'assiéger le fort et d'obliger les défenseurs à se rendre par la famine. Entretemps, Charles de la Tour avait réussi à quitter St-Jean et il était déjà en route pour Boston afin de demander de l'aide aux Britanniques. Effectivement, les Britanniques acceptèrent de l'aider et, un mois plus tard, lorsque Charles de la Tour accompagné de bateaux anglais, retourna au fort toujours assiégé, Charnissey prit peur à la vue des bateaux et retourna à Port-Royal.

L'épouse de Charles de la Tour, Marie Jacqueline, joua un rôle important lors de cette bataille. Elle se mit en route pour la France afin d'y demander de l'aide, mais Charnissey qui était aussi en France, répandit la nouvelle que Charles de la Tour n'avait pas l'intention d'obéir aux ordres du roi. Lorsque Madame de la Tour débarqua en France, on lui défendit de quitter le pays sous peine de mort. Ne voulant pas abandonner son mari, elle s'évada en Angleterre et, de là, partit pour Boston où elle réussit à trouver de l'aide. Elle retourna ensuite rejoindre son mari.

Cependant la guerre civile continuait et, un jour, pendant que de la Tour se rendait à Boston à la recherche de renforts, laissant sa femme seule à la maison, Charnissey, mis au courant, décida de profiter de l'absence de son rival pour attaquer St-Jean. Cette fois, il fut victorieux, le fort fut envahi et Madame de la Tour dut se rendre.

Charnissey avait promis à Madame de la Tour qu'il épargnerait la vie des défenseurs du fort, mais il ne tint pas parole, et, devant Madame de la Tour, il fit pendre vingt de ses amis. Madame de la Tour, le coeur

After this tragedy Charles de la Tour wandered about aimlessly for about five years. When he heard that Charnissey drowned during a sea voyage, he decided to present himself before the King of France, and inform him of Charnissey's intrigues and lies. He arrived in France in 1650, was well received by the King, who appointed him Governor General of the colony. Shortly after his return to Canada, Charles de la Tour married the widow of his old enemy, Charnissey.

This is how the first civil war in Canada came to an end. It was an episode filled with contradictory sentiments of treason and heroism; love and hatred.

brisé, fut emmenée à Port-Royal, où elle mourut trois semaines plus tard.

Après cette tragédie, Charles de la Tour erra pendant environ cinq ans, puis, apprenant la mort de Charnissey qui s'était noyé au cours d'un voyage en mer, il décida de se rendre auprès du roi de France afin de lui dévoiler les calomnies de Charnissey. Il débarqua en France en 1650 et y fut bien reçu par le roi qui le nomma gouverneur général de la colonie. Peu après son retour au Canada, il épousa la veuve de son ancien ennemi, Charnissey.

C'est ainsi que se termina la première guerre civile dans notre pays. Ce fut un épisode fertile en sentiments contradictoires : l'héroïsme y allait de pair avec la trahison, la loyauté avec la haine.

THE DUEL FOR A CONTINENT

THE war over the possession of North America, waged between the British and the French, commenced on the day that English and French settlers reached American soil. As long as the number of colonies remained small, the battle was not a very sharp one. As the colonies grew, the conflict became more intensified. Apart from this, the wars between Great Britain and France, waged on the European Continent, were reflected in the North American colonies. Both the British and the French knew that, sooner or later, one of them would remain the sole ruler of North America, and that war was unavoidable. The war started in 1756, and ended in 1763. It is known in history as the "Seven Years' War". There were a number of outstanding causes which led to this war.

The population of French Canada numbered about 60,000. Its culture had been transplanted from France, the language spoken in the colony was French, and all of its inhabitants were of the Catholic faith.

Against this, the population of the British colonies numbered about one million two hundred thousand, outnumbering the French by twenty to one. While the greatest portion of the colonists were of English descent, even at that time, the American people consisted of a mixture of nationalities, with various cultural backgrounds. In addition to those of English descent, the British colonies were inhabited by considerable numbers of Irish, Scottish and German settlers. There were also in the British colonies minorities of Dutchmen, Swedes, French Protestants, and Spaniards. English speech and culture predominated. The population belonged to various Protestant sects.

There also existed a great economic difference between the French and the British colonies.

More than three quarters of the French population lived on the land which lay in the St. Lawrence Valley between Quebec and Montreal. The methods of farming and the equipment used were primitive. In fact, all facets of life were of a primitive nature. All material needs, food, clothing, furniture, etc., were produced entirely at home and on the farms.

For a time fishing played an important part in the French colonies, but they were gradually forced out of this industry by the British and by the Newfoundlanders. The same situation prevailed in other industries as well. The fur trade was the only worthwhile commercial enterprise but this, too, had its drawbacks. It curtailed land development and prevented the increase of the population. It also kept out other industries. The reason for this was very simple. The fur trade requires forest land, which means the curtailing of arable farm land. Apart from all these factors there was another prime deterrent to the country's pro-

DUEL POUR UN CONTINENT

LA guerre entre les Français et les Anglais ayant pour enjeu la possession de l'Amérique du Nord commença le jour où les premiers colons mirent pied sur le sol du nouveau continent. Le conflit fut en rapport avec le nombre des colons; il s'intensifiait au fur et à mesure que les colonies se multiplaient. De plus, les guerres entre la Grande-Bretagne et la France en Europe eurent des répercussions qui se firent sentir en Amérique. Les Anglais aussi bien que les Français établis dans la colonie, savaient fort bien qu'un jour ou l'autre l'une des deux puissances obtiendrait la suprématie et que la guerre était inévitable. La guerre, connue dans l'histoire comme la "Guerre de Sept ans", débuta en 1756 et se termina en 1763. Plusieurs éléments importants motivèrent ce sanglant conflit.

Avant la guerre, la population du Canada français se chiffrait à 60,000 habitants qui avaient apporté de France leurs us et coutumes, ainsi que leur langue et la religion catholique.

Par contre, la population de la colonie britannique atteignait environ 1,200,000 habitants, donnant un rapport de vingt Anglais pour un Français. La majorité des colons étaient de descendance anglaise, mais déjà à cette époque, le peuple américain était un mélange composite de races et de cultures. A part les Britanniques, il y avait aussi un assez grand nombre d'Irlandais, d'Ecossais et d'Allemands. Les Hollandais, les Suédois, les Protestants français et les Espagnols étaient en minorité. La langue et la culture anglaises étaient prédominantes et la population adhérait à différentes sectes du protestantisme.

Au point de vue économique, la différence entre les colonies françaises et britanniques était énorme.

Plus des trois-quarts de la population française résidaient dans la vallée du Saint-Laurent, située entre Québec et Montréal. Les méthodes d'agriculture et le genre d'équipement utilisé y étaient encore rudimentaires. Il est vrai que la vie à cette époque y était aussi très primitive, toutes les nécessités quotidiennes étant fabriquées à la maison ou dans la ferme: nourriture, habillement et meubles.

Pendant un certain temps, la pêche fut l'une des plus grandes industries des colons français, mais graduellement, ceux-ci furent forcés par les Anglais aussi bien que par les Terre-Neuviens, à y renoncer. La même situation se présenta dans les autres industries et le seul commerce important qui florissait alors, était la vente et l'achat des fourrures. Ce commerce avait cependant le désavantage d'être à double tranchant. Il empêchait l'expansion de l'agriculture et par là-même diminuait la densité de la population; il nuisait également au développement des autres industries pour la simple raison que pour rester prospère, ce commerce nécessitait de grandes étendues de forêts, entravant donc l'établissement de terres arables. De plus, le régime totalitaire de la mère-patrie représentait un autre facteur faisant obstacle à l'expansion du pays.

gress — the "absolute" rule of the French Motherland. Every phase of life was controlled by the government.

The British colonies were founded on a much more substantial economic basis. They were scattered along the Atlantic coast, and possessed many harbours. This led to ever increasing trade. Britain, who was in great need of raw materials, was deeply interested in the growth and development of her colonies. The British settlers enjoyed greater freedom, which was another incentive to progress. All this led to lively trade, commerce and industry. Agriculture, the lumber and tobacco industries, distilling of alcohol, and so on, were introduced and developed in the British colonies. This helped enrich the population of the colonies.

The American colonies were also in a better geographical position. The heavily populated part of French Canada consisted of the St. Lawrence Valley. The rest of the country, large as it was, was wild and uninhabited. The American colonies were located on the sea coast, where the climate was temperate, and the soil most fertile. Their ports and harbours brought about greater contact with the rest of the world.

It was at this juncture of history that the Seven Years' War, a duel between Britain and France, began.

Toutes les phases de la vie quotidienne des colons français étaient contrôlées par le gouvernement.

Les colonies britanniques, au contraire, fonctionnaient sur une base économique bien plus solide. Les colonies britanniques étaient échelonnées le long des côtes de l'océan Atlantique et comprenaient d'innombrables ports de mer, ce qui facilitait l'essor du commerce et de l'industrie. La Grande-Bretagne avait besoin de matières premières: elle avait donc tout intérêt à aider au développement de ses colonies. Les colons britanniques jouissaient aussi d'une plus grande liberté d'action. Ces nombreux facteurs favorisaient le progrès de l'industrie et du commerce, ainsi que l'expansion du pays. On encourageait l'agriculture, l'industrie forestière, la culture du tabac, la manufacture des spiritueux, etc. et ces industries devinrent de plus en plus florissantes et enrichirent la population.

La situation géographique des colonies américaines était des plus favorisées. La population la plus dense du Canada français se groupait dans la vallée du Saint-Laurent, mais tout le reste du pays, bien que très vaste, était inhabité et laissé à son état primitif. Les colonies américaines, situées le long de la côte, étaient favorisées par un climat tempéré et un sol fertile, leurs ports de mer facilitaient les relations avec le reste du monde.

C'est à ce moment de l'histoire que commença la Guerre de Sept Ans qui fut un véritable duel entre la France et l'Angleterre.

THE 'RED SEA MIRACLE' IN CANADIAN HISTORY

ON the 24th. of June, 1711, a large British flotilla, carrying troops, and ammunition sailed into Boston Harbour. The transport brought an army of about five thousand men as well as sailors and marines. The fleet was under the command of Admiral Hovenden Walker. The army, which had been sent from England for the purpose of attacking Quebec City was commanded by General Hill. This expedition was part of the war operations for the conquest of North America. The armada remained in Boston Harbour for about a month, and then set out to fulfill its mission.

Neither General Hill, nor Admiral Walker were true military men. They had received their commands not for ability, but because they were in the good graces of the Queen. No river pilots, who might have known the navigation route into Quebec, accompanied them on their voyage. As a result, they did not know where they were and which direction to follow, when the fleet sailed into the mouth of the St. Lawrence river. The ships were actually in the Gulf of the St. Lawrence, quite close to the two small islands, "Iles aux Oeufs". While these islands are small, their rocky shores are highly dangerous, and experienced navigation was required in order to avoid disaster.

In the meantime, one calamity followed another. A heavy fog settled over the sea, and this confused the harassed commanders even further. They believed that they were sailing south of the islands, while they were actually heading north. When they discovered the error, it was too late; seven ships were smashed on the rocky shores, and hundreds of men had lost their lives.

The Generals who did not know what course to follow in the first place, lost their heads completely. After a short conference, they decided to give up the expedition. Part of the flotilla sailed for England, and the remainder headed for Boston.

One can imagine the joy of the French, when they learned of the British "fiasco". They believed that God had saved Quebec by drowning the British foe in the sea. Quebec marked the event with great joy and with much religious feeling.

The entire population gathered in the church, where they sang "Te Deum's" and thanked God for saving their city. It was to commemorate this event that the church was named "Notre Dame des Victoires".

There is another interesting story concerning this event. In 1662 Jeanne La Bere was born in Montreal. She was the daughter of Jaques La Bere, a wealthy merchant whom the Governor had raised to the rank of a nobleman. Little Jeanne was a sensitive, religious child. She grew up to be a beautiful young woman, and many a suitor wished to make

LE "MIRACLE DE LA MER ROUGE"

LE 24 juin 1711, une imposante flotte britannique chargée de troupes et de munitions, entrait dans le port de Boston. Le contingent se composait d'une armée d'environ 5,000 hommes, sans compter les marins et les fusiliers marins. La flotte était sous le commandement de l'amiral Havenden Walker et l'armée était commandée par le général Hill. L'Angleterre envoyait cette armée en vue d'attaquer la capitale française du Canada, la cité de Québec. Cette expédition faisait partie des opérations de guerre pour la conquête de l'Amérique du Nord et la flotte resta dans le port de Boston pendant environ un mois, attendant le signal de départ pour l'accomplissement de sa mission.

L'amiral aussi bien que le général n'étaient pas de vrais militaires de carrière. Ils furent nommés commandants non pas à cause de leur expérience ni de leur valeur militaire, mais plutôt parce qu'ils étaient dans les bonnes grâces de la reine. Ils ne s'étaient pas pourvus de pilotes de rivière pour les guider, de sorte que lorsqu'ils atteignirent l'embouchure du fleuve Saint-Laurent, ils ne savaient pas où ils étaient ni dans quelle direction ils devaient se diriger. Les bateaux mouillaient dans le golfe Saint-Laurent, non loin de deux petites îles appelées "Iles aux Oeufs". Bien que ces îles soient fort petites, elles n'en sont pas moins dangereuses pour des navigateurs peu expérimentés, car elles sont entourées de rochers rudes et escarpés.

Il se produisit une succession de malheurs; pour commencer, un épais brouillard recouvrit la mer, désorientant encore plus les commandants déjà harassés. Ils étaient sous l'impression qu'ils naviguaient au sud des îles quand, au contraire, ils voguaient vers le nord. Ils découvrirent leur erreur trop tard et perdirent ainsi sept de leurs bateaux qui s'échouèrent sur les rochers, faisant des centaines de victimes.

Les commandants, qui ne savaient plus où donner de la tête, furent complètement perdus, et, après un court conciliabule, décidèrent d'abandonner leur mission. Une partie de la flotte mit le cap sur l'Angleterre tandis que le reste des bateaux partit en direction de Boston.

On peut imaginer la joie avec laquelle les Français apprirent la nouvelle de ce complet "fiasco". Ils avaient la conviction que Dieu avait épargné Québec en faisant disparaître les Britanniques dans la mer. Ce fut l'occasion de grandes réjouissances. La ferveur religieuse fut à son comble.

Toute la population se réunit dans l'église en chantant le "Te Deum", remerciant Dieu d'avoir sauvé la cité du désastre, et, lors de cet événement, il fut décidé de nommer l'église "Notre-Dame des Victoires".

Une anecdote se rattache à cet événement. En 1662, naquit à Montréal Jeanne Leber, fille de Jacques Leber, un riche marchand que le gouverneur avait ennobli. La petite Jeanne était une enfant très sensible et fort religieuse. Elle devint une belle jeune femme et eut beaucoup de prétendants. Mais elle n'était pas attirée par leurs belles promesses et préférait vivre dans l'ombre, loin de la vie mondaine. Elle passait

her his bride. Yet, disregarding all this attention, Jeanne kept away from life's interests, and spent most of her time in the company of nuns. When she reached the age of twenty-four, she decided to withdraw completely from the ordinary day-to-day world.

Jeanne locked herself in her room and gave up all contact with other human beings. Food was brought to her, but more often than not she fasted. She allowed only the priest and her personal hand-maiden to enter her room. Even when her mother died, she did not leave her room to attend the funeral.

After years of isolation she asked that a small cell be constructed for her in the church, so that she might always be near to God. Her wish was granted.

For almost twenty years she lived alone in her cell. She slept on straw, ate very little, suffered cold in the winter, and continually punished herself. Before his death, her father begged that she come to see him. She replied with a quotation from the New Testament, stating: "He who loves his father and mother above God, is not worthy of the love of God." She did not visit her dying father.

Jeanne was forty-nine years old when the English Armada set out to capture Quebec. Upon learning of the danger to the French colonists, she sent from her cell a painting depicting the Virgin Mary, on which she wrote a prayer, asking God to aid Canada in her hour of need. The destruction of the British ships led the population of Montreal to believe that the miracle had occurred in answer to Jeanne le Bere's prayer. It was considered by many to be the most miraculous event, since the miracle of the Red Sea.

Those visiting Quebec City should not fail to seek out the famous church, "Notre Dame des Victoires." It stands in the old section of the city. The church was first erected in 1688, by the French Governor, Denaultville. In October, 1690, a British fleet, under Admiral Phipps, besieged Quebec. The Governor of Quebec, the famous Count Frontenac announced categorically that he would not surrender to the British. Admiral Phipps besieged the city for ten days, and decided to withdraw, since he was unable to capture it. In remembrance of this event, the church was named "Notre Dame de Victoire". When the events described above occurred in 1711, twenty years later, the name of the church was changed to "Notre Dame des Victoires". The church thus named remains to this day as a reminder of the miracles which saved the City of Quebec.

la plus grande partie de son temps avec les religieuses, et lorsqu'elle eut 24 ans, elle décida de se retirer complètement du monde.

Elle s'enferma dans sa chambre et y resta, loin de tous. On lui apportait de la nourriture, mais plus souvent qu'à son tour, elle jeûnait. Il n'y avait que sa servante personnelle, ainsi qu'un prêtre, qui avaient la permission d'entrer dans sa chambre. Lorsque sa mère mourut, elle ne quitta même pas sa chambre pour assister aux funérailles.

Après 10 ans de réclusion, elle demanda qu'une petite cellule lui fût aménagée dans l'église afin qu'elle pût être près du Seigneur. Son voeu fut exaucé et elle vécut ainsi, seule, dans cette petite cellule, pendant près de vingt ans. Elle dormait sur la paille, mangeait très peu, grelottait en hiver et se mortifiait continuellement. Avant de mourir, Jacques Leber pria sa fille de venir le voir. Une citation du Nouveau Testament lui parvint pour toute réponse: "Celui qui aime son père et sa mère plus que Dieu n'est pas digne de l'amour de Dieu". Elle ne se rendit pas au chevet de son père mourant.

Jeanne avait 49 ans lorsque la flotte britannique se mit en route afin de capturer la cité de Québec. Apprenant le danger qui menaçait les Français du Canada, elle envoya une image pieuse sur laquelle elle écrivit une prière demandant à Dieu de venir en aide aux siens. Après la disparition des bateaux britanniques, la population de Montréal crut qu'un miracle avait été accompli grâce aux prières de Jeanne Leber. Cet événement fut considéré comme le plus grand miracle survenu depuis le miracle de la Mer Rouge.

Les visiteurs de la cité de Québec ne devraient pas manquer de visiter la fameuse église "Notre-Dame-des-Victoires" qui se trouve dans le vieux quartier de Québec. Cette église fut construite en 1688 par le gouverneur français de l'époque, Denaultville. En octobre 1690, la flotte britannique commandée par l'amiral Phipps, assiégea Québec que gouvernait le fameux comte de Frontenac. Celui-ci annonça qu'il ne capitulerait jamais. L'amiral Phipps fit le siège de la cité pendant 10 jours, mais n'ayant pas réussi à s'emparer de la ville, il abandonna son projet. C'est en souvenir de cet épisode de l'histoire du Canada que l'église fut d'abord appelée "Notre-Dame de la Victoire"; 21 ans plus tard, en 1711, lors de la défaite de la flotte britannique que nous venons de raconter, on nomma l'église "Notre-Dame-des-Victoires". Ce nom lui est resté; il commémore le miracle qui sauva la cité de Québec.

PIERRE LE MOYNE d'IBERVILLE — THE CANADIAN JUDAS MACCABEUS

ON September the 5th, 1689, there appeared four battleships on the cold waters of Hudson's Bay, near the fortress city of Port Nelson. Three of the men-of-war were British, and one was French. The ships were prepared for combat, since their countries were at war.

The French ship, the 'Pelican' had orders to capture Port Nelson, and the British ships, 'Hampshire', 'Hudson's Bay' and 'Daring', were there to protect the city. It appeared that the only course for the French to follow was to take flight, unless they wished to surrender. But, as it is said, "all that glitters is not gold.'

The commander of the French vessel, Pierre le Moyne d'Iberville, disregarded the desperate situation in which he found himself. It was not like him to run away, and he decided to fight. The bitter battle started. The three British ships began a heavy bombardment of the 'Pelican' and within fifteen minutes the decks of the French ship were covered with the bodies of dead and dying sailors. Out of one hundred and fifty men, ninety were in no condition for further combat.

In spite of this, neither Pierre d'Iberville, nor his crew had any intentions of giving up. His men fought with increased fury, concentrating their attack on the 'Hampshire'. Suddenly the cannons aboard the 'Hampshire' ceased firing. She listed with a groan and sank in the icy waters of Hudson Bay.

Seeing the fate of the 'Hampshire', the two remaining British vessels gave up the battle. The 'Hudson's Bay' surrendered, while the 'Daring' escaped, allowing the French to capture Port Nelson.

Who was Pierre Le Moyne d'Iberville, the hero of this battle?

His father, Charles Le Moyne, arrived in Canada at the age of sixteen in 1625. He was a clever and industrious young man. In 1657 he received a grant of land near Montreal, where Longueuil is now situated. Charles Le Moyne had fourteen children, three girls and eleven boys. The family was well known, even famous, for their devotion to their land. Pierre, the third son, became the most famous member of his family. It was he who led the sea battle to victory.

At the age of thirteen Pierre became a cadet in the Royal Navy of France. After ten years' service he returned to Montreal, where, with his father, he made many journeys into Indian territory. He came to know very well the character of the Indians, their way of life and their customs. This knowledge was of immense value to him later on.

Canada was undergoing a period of uncertainty and unrest. The English were trying to conquer the country. They organized a powerful trading firm, the 'Hudson's Bay Company', which founded a chain of

PIERRE LE MOYNE d'IBERVILLE — LE JUDAS MACCHABEE CANADIEN

LE 5 septembre 1689, sur les eaux glacées de la Baie d'Hudson, non loin des fortifications du Port Nelson, mouillaient quatre navires de guerre. Trois de ces navires étaient britanniques, le quatrième était français. Ils allaient se livrer combat, puisque leurs deux pays étaient en guerre.

Le navire français "Le Pélican" avait pour mission de capturer Port Nelson, tandis que les navires britanniques "Hampshire", "Hudson Bay" et "Daring" étaient venus afin de protéger le port. La situation des Français était telle qu'ils ne pouvaient que se rendre ou quitter les lieux, mais "tout ce qui brille n'est pas or".

Le commandant du navire français, Pierre Le Moyne d'Iberville, ne tint pas compte de la situation désespérée dans laquelle il se trouvait, et, comme il n'était pas homme à se rendre, il prit la résolution de se battre. La bataille meurtrière commença. Les trois navires britanniques bombardèrent le "Pélican" et, quinze minutes s'étaient à peine écoulées que déjà le pont du navire français était jonché de morts et de blessés. Sur un total de 150 hommes, 90 étaient hors d'état de combattre.

Cependant, ni Pierre d'Iberville, ni son équipage, n'avaient l'intention de cesser le combat. Ils se lancèrent donc dans la bataille avec une énergie redoublée, concentrant leur attaque sur le "Hampshire". Tout à coup, les canons du "Hampshire" cessèrent de tirer. Il y eut un craquement sinistre, le navire pencha, puis s'enfonça comme une pierre dans les eaux glacées de la baie d'Hudson.

A la vue du sort du "Hampshire", les deux autres navires britanniques cessèrent le combat. Le "Baie d'Hudson" se rendit, tandis que le "Daring" s'enfuit, laissant les Français s'emparer de Port Nelson.

Qui était Pierre Le Moyne d'Iberville, ce héros?

Son père, Charles Le Moyne, était arrivé au Canada en 1625; il était alors âgé de 16 ans. C'était un jeune homme intelligent et travailleur; en 1657, il acquit un terrain situé près de Montréal, là où se trouve actuellement Longueuil. Charles Le Moyne eut quatorze enfants, dont trois filles et onze garçons. La famille fut bientôt connue et même renommée pour son attachement à la terre. Pierre, le troisième fils, devint le plus célèbre de la famille. C'est lui qui fut le chef victorieux de la bataille navale.

Lorsqu'il eut 13 ans, Pierre se joignit aux cadets de la Marine Royale française. Après 10 ans de service, il retourna à Montréal où, accompagné de son père, il entreprit de nombreux voyages d'exploration dans les territoires occupés par les Indiens. C'est ainsi qu'il acquit une grande expérience des us et coutumes des Indiens, expérience qui, plus tard, lui fut d'un précieux secours.

Au Canada, l'avenir était incertain car les Anglais voulaient conquérir le pays tout entier. Ils avaient fondé une importante entreprise commerciale, la "Compagnie de la Baie d'Hudson", qui possédait une

trading posts, where the Indians brought their goods for barter. These posts also served as military fortresses.

The French observed these developments with mounting resentment. In 1686 they decided to set out on an expedition whose aim was to destroy the British outposts. Pierre and two of his brothers participated in this expedition. Because of their familiarity with the Canadian terrain, they proved to be of great service in the field of battle. Pierre d'Iberville gained the highest distinction.

He soon captured great quantities of fur which had belonged to the British. The entire Hudson's Bay area and its fur trade fell into French hands, bringing great wealth to French Canada.

Pierre d'Iberville did not remain idle after the first victory. He also captured the City of St. John's in Newfoundland, and just about drove the British off the island.

At the request of the French Government, he also headed an expedition that was sent to find the mouth of the Mississippi River. There he founded a colony, which later became known as the State of Louisiana.

The younger brother of Pierre d'Iberville, Jean Baptist de Bienville, who had accompanied him, was Governor of the Province of Louisiana for thirty-five years. One of the settlements founded by Pierre d'Iberville, later became the City of New Orleans.

The name of Pierre Le Moyne d'Iberville gained fame from Hudson's Bay to Mexico. He participated successfully in all phases of the conflict between France and Britain, and his devotion to his country had no bounds. It was not in vain that he was often referred to as the leader of the Canadian Maccabees. Pierre d'Iberville won all his battles, but France lost the war. This does not detract, however, from his greatness and heroism. As a result of the Treaty of Utrecht, signed in 1713, between England and France, the Hudson's Bay territory and Newfoundland came once more under British rule.

While in Havana, Cuba, where he was to supply one of his expeditions, Pierre d'Iberville was stricken with malaria and died in the year 1706.

Pierre Le Moyne d'Iberville was a true Canadian hero who has been called the "Canadian Judas Maccabeus", "Robin Hood", etc. in recognition of his devotion and courage.

chaîne de comptoirs commerciaux où les Indiens apportaient leurs marchandises et y pratiquaient le troc. Ces comptoirs de commerce étaient en même temps des places fortifiées.

Pleins de ressentiment, les Français qui, dès 1686, étaient au courant de ces faits, projetèrent de détruire les avant-postes britanniques. Pierre et deux de ses frères prirent part à cette expédition et, connaissant à fond la région ils se distinguèrent sur le champ de bataille. Pierre, surtout, se fit remarquer.

Prestement, il mit la main sur d'importants lots de pelleteries qui avaient appartenu aux Britanniques. Toute la région de la Baie d'Hudson, avec son commerce de fourrures, tomba aux mains des Français, enrichissant tout le Canada français.

Pierre d'Iberville n'en resta pas là ; il s'empara bientôt de la cité de St. John dans la province de Terre-Neuve et il s'en fallut de peu qu'il ne chassât tous les Britanniques de l'île.

A la demande du gouvernement français, il prit la tête d'une expédition à la recherche de l'embouchure du Mississippi. Il y fonda une colonie, qui se développa et devint plus tard l'état de la Louisiane.

Jean Baptiste de Bienville, jeune frère de Pierre, l'accompagnait lors de cette expédition ; il demeura comme gouverneur de la province de Louisiane pendant 35 ans. L'une des colonies fondées par Pierre d'Iberville est devenue la cité de la Nouvelle-Orléans.

Le nom de Pierre Le Moyne d'Iberville devint célèbre de la Baie d'Hudson jusqu'au Mexique. Il prit part, et toujours avec succès, aux nombreuses batailles qui eurent lieu entre Français et Anglais ; son dévouement était sans bornes, et ce n'est pas sans raisons qu'on le surnommait souvent "Chef des Macchabées canadiens". Pierre d'Iberville gagnait toutes les batailles, mais la France perdit la guerre. Sa gloire et son héroïsme ne s'en trouvent pas diminuées. Après le Traité d'Utrecht, signé entre l'Angleterre et la France en 1713, le territoire de Terre-Neuve et de la Baie d'Hudson furent de nouveau sous l'égide de l'Angleterre.

Lors d'un voyage au port de La Havane à Cuba, afin d'obtenir des approvisionnements pour une de ses expéditions, Iberville y contracta la malaria et mourut en 1706.

Pierre Le Moyne d'Iberville fut un héros canadien authentique. On s'est plu à le surnommer entre autres : "Chef des Macchabées canadiens" et "Robin des Bois" en hommage à son dévouement et à son courage.

EVANGELINE

"EVANGELINE", by Frank Dixie, is one of the most striking paintings of its epoch. It shows a small, sad group of men, women and children, sitting dejectedly on rocks near the sea. They are guarded by a soldier. Near them lie bundles of clothing and pieces of furniture. The colours of the painting are dull and sombre, which adds a tragic tone to the entire scene. The painting tells the story of a tragic episode in the history of Canada.

The first French pioneers settled in Acadia in 1604. They were in an important geographical location, because Acadia, situated at the place where the St. Lawrence river joins the Atlantic, was at the doorway to the rest of Canada. As could be expected, the French were opposed to British influence in that region. On the other hand, Acadia was near the British colonies of North America on the Atlantic seaboard. This worried the English, who feared a sudden French attack.

Because of this fear there was not much good will between the two territories. Acadia was captured several times by the English, and recaptured by the French. Finally in 1713, the Treaty of Utrecht made England the sole ruler of Acadia.

A small number of French settlers inhabited Acadia. They differed from the French settlers in the rest of Canada because of their isolation, and developed their own way of life. The Government of France hardly devoted any attention to them. Now, under English rule, the Acadians withdrew even more; keeping strictly to themselves, they minded their own affairs.

On a number of occasions the British Government ordered the Acadians to swear allegiance to England, but they refused, saying that if they were to do this, they would be called upon to serve in the English army, which they did not wish to do. The Acadians promised, however, to remain neutral in the event of war between England and France. The quarrel continued as relations between England and France grew steadily worse.

The French tried to win the Acadians over to their side. The English, naturally, were afraid of the Acadians living in their midst. They became especially concerned on learning that French agitators were trying to stir up the Acadians.

On the Friday of September 5th, 1759, there was a great deal of excitement in the Acadian village of Grand'Pre. Church bells were ringing, and trumpets, blown by British soldiers called the people to assemble. Men, women, and children hurried to the church, where they had been told to gather before three o'clock in the afternoon.

The men were ordered to enter the church, while the women and children were to remain in the yard. An English officer read in a low

EVANGELINE

"EVANGELINE" par l'artiste peintre Frank Dixie est l'un des tableaux les plus frappants de l'époque. Il représente un petit groupe d'hommes, de femmes et d'enfants affalés sur des rochers surplombant la mer; leur attitude trahit une grande lassitude et les visages sont empreints de tristesse. Un soldat surveille ce groupe entouré d'un amoncellement de ballots contenant des vêtements et des meubles épars. L'atmosphère tragique de la scène est accentuée par les tons sombres choisis par l'artiste. Ce tableau remémore un tragique épisode de l'Histoire du Canada.

Des pionniers français s'établirent en Acadie en 1604. Géographiquement, l'endroit était de grande importance, car l'Acadie était située à l'embouchure du St-Laurent, sur l'océan Atlantique, voie d'entrée du Canada. Bien entendu, les Français ne désiraient pas subir l'influence britannique dans cette région. D'autre part, l'Acadie était près des colonies britanniques de l'Atlantique, les Anglais étaient toujours sur le qui-vivre.

Cette ambiance de méfiance mutuelle n'était certes pas propice à une entente entre les deux territoires et l'Acadie tomba plusieurs fois entre les mains des Anglais. Finalement, en 1713, l'Acadie fut remise aux Anglais selon les clauses du Traité d'Utrecht.

Un petit nombre de colons français étaient établis en Acadie. Ils étaient différents des autres colons français du Canada en ce sens qu'ils vivaient isolés et avaient adopté des coutumes typiques. Le gouvernement français ne s'occupait guère des Acadiens. Lorsque ceux-ci furent sous la tutelle des Anglais, ils adoptèrent une attitude encore plus repliée sur eux-mêmes, ne s'occupant que de leurs propres affaires.

A plusieurs reprises, le gouvernement anglais leur ordonna de prêter le serment d'allégeance à l'Angleterre, mais les Acadiens s'y refusèrent, alléguant que s'ils acceptaient, ils seraient forcés de faire du service militaire dans l'armée anglaise, ce qu'ils ne voulaient pas. Ils promirent cependant de rester neutres dans l'éventualité d'une guerre entre l'Angleterre et la France. Cette querelle dura jusqu'au moment où la France et l'Angleterre rencontrèrent des griefs plus profonds.

Les Français poussaient les Acadiens à se joindre avec eux, tandis que les Anglais étaient naturellement méfiants envers les Acadiens se trouvant parmi eux. Ils devinrent plus méfiants encore lorsqu'ils apprirent que des agitateurs français tentaient de soulever les Acadiens.

En 1759, le major Lawrence, gouverneur de l'Acadie, homme au coeur de pierre, décida de se débarrasser de ces ennemis en puissance, ces 8,000 Français d'une loyauté douteuse.

Le vendredi, 5 septembre 1759, une grande agitation régnait dans le village de Grand'Pré, en Acadie. Les cloches de l'église sonnaient à toute volée et des sons de trompette retentirent: les soldats anglais conviaient les habitants à se réunir devant l'église du village avant trois

firm voice the order that Major Lawrence had sent. According to this order, all property belonging to the Acadians — their land, houses, cattle and other possessions, were to be confiscated. It further stipulated that they were to abandon their homes and fields and leave the province. The Acadians were permitted to take with them only their money, and whatever possessions they could carry.

Stunned and heartsick, the Acadians submitted to their cruel fate. Opposition was useless. They were helpless. With tears in their eyes, they left their homes and were loaded into boats. Soon, looking back, they could see smoke and flames rising from their burning homes. Thus 8,000 French inhabitants of Acadia were forced into exile. In order to prevent public action or resistance, Governor Lawrence scattered the Acadians throughout North America. Families were torn apart, husbands were taken away from their wives, and children from their parents. Several boats, carrying exiles, perished at sea. This was a most tragic event.

Later on, as a result of widespread sympathy for the Acadians certain rights were restored to them.

The well known American poet, Longfellow, immortalized this tragedy in his famous poem, "Evangeline", wherein he tells about the separation of young Evangeline Bellefontaine from her fiance, Gabriel Lajeunesse. It is a poem full of beauty and pathos, which helped arouse much sympathy for the unfortunate Acadians.

heures de l'après-midi. Hommes, femmes et enfants, étonnés, se dirigèrent tous vers le lieu de rassemblement.

Les hommes furent réunis à l'intérieur de l'église pendant que les femmes et les enfants devaient rester dans le cimetière entourant l'église. Un officier anglais, d'une voix basse et ferme, lut l'ordre signé par le major Lawrence. Cet ordre stipulait que toutes les propriétés et les biens des Acadiens étaient confisqués, c'est-à-dire, leurs terres et leurs maisons, leur bétail et tous leurs autres biens. De plus, il leur fallait abandonner leurs demeures et leurs terres et quitter la province. Les seuls biens qu'ils avaient le droit d'emporter étaient leur argent et leurs objets personnels.

Outrés et meurtris, les Acadiens s'inclinèrent devant la fatalité. Il leur était vain de s'opposer aux autorités car ils étaient entièrement à leur merci. Les larmes aux yeux, ils abandonnèrent leurs maisons. On les embarqua sur plusieurs bateaux, et, peu après leur départ, jetant un dernier regard vers leur pays, ils aperçurent des flammes et de la fumée provenant de leur village où leurs maisons avaient été incendiées. C'est ainsi que 8,000 Français prirent le chemin de l'exil. Le major Lawrence, craignant une révolte collective des Acadiens, décida de les disperser à travers l'Amérique du Nord. Les familles furent cruellement séparées: les maris durent abandonner leurs épouses, les enfants se retrouvèrent sans leurs parents. De plus, plusieurs bateaux remplis de déportés, coulèrent avant d'avoir atteint leur destination.

Plus tard, les gens eurent pitié des Acadiens et certains de leurs droits leur furent restitués.

Le poète américain bien connu, Henry Wadsworth Longfellow, a immortalisé cette tragédie dans son fameux poème "Evangéline", où il décrit la cruelle séparation de la jeune Evangéline Bellefontaine d'avec son fiancé, Gabriel Lajeunesse. Ce poème pathétique et de toute beauté a suscité la plus vive compassion envers les exilés Acadiens.

LOUISBURG

CAPE Breton Island is situated on the north-eastern side of Nova Scotia. It is separated from the mainland by a narrow strait, known as the Strait of Canso. The island was once called Ile Royale, Royal Island.

On the 26th of January, 1714, instructions were sent from Versailles, the seat of the French Government, ordering a fortress city to be built on Ile Royale, and that this fortress be named Louisburg. About seven years later the city's walls were partly ready, and the year 1720 is considered officially to be the date of the founding of Louisburg. A medal was struck to commemorate this event. It bore the Latin inscription: "Ludovico Burgum Fundatum et Munitum."

Why then was France so eager to erect this fortified city?

From the moment that North America became known to Europe, there began a quiet, slow and drawn-out campaign by England and France for control of the continent. Although the French were the first to colonize and settle many parts of North America, the British slowly gained the upper hand. By 1713, they had already wrested from France the territories of Hudson Bay, Newfoundland and Acadia.

France saw that her opportunities were dwindling, and in order to prevent further retreats, decided to build a fortress city that would guard the mouth of the St. Lawrence River, and at the same time protect the fishing industry in that area. Louisburg was founded as the result of this decision. Out of a wild, rocky cliff off Cape Breton, there grew the strongest fortress in North America. Millions of dollars were spent on its construction. When it was completed, the French were able to guard the seashore from four towers, which were fortified with giant cannon.

England was greatly displeased. First of all, she did not wish to see such a strong fortress in French hands. Secondly, the English did not wish to lose to the French their fishing industry, which was a rich source of income. The British, therefore, bided their time.

In 1744, war broke out between England and France. The French authorities of Cape Breton Island sent out an expedition which destroyed a small English fishing village.

The English colonists in America were furious at this, and after some deliberation, decided to attack Louisburg. The results of this attack were most unexpected, almost miraculous.

The powerful French fortress, armed with heavy cannon and manned by a well trained militia, was geared to meet any eventuality of armed conflict. On the other side was the English Army of about 3,500 men. It could not rightly be called an army for it consisted of farmers, hired help, fishermen and the like — people who for the most part

LOUISBOURG

L'ILE du Cap Breton est située au nord-est de la Nouvelle-Ecosse; elle est séparée de la terre par un petit détroit qui s'appelle le détroit de Canso. L'île fut jadis nommée "Ile Royale" ou "Royal Island".

Le 26 janvier 1714, un ordre arrivait de Versailles, résidence des rois de France, à l'effet qu'une ville fortifiée devait être bâtie sur l'île Royale, qui serait dorénavant connue sous le nom de Louisbourg. Environ sept ans plus tard, une partie de l'enceinte fut prête, et, en 1720, la fondation de Louisbourg fut officiellement célébrée. Pour commémorer cet événement, une médaille fut frappée, portant l'inscription latine: "Ludovico Burgum Fundatum et Munitum".

Pourquoi la France souhaitait-elle si ardemment la construction de cette ville fortifiée?

Dès que l'Amérique du Nord fut connue en Europe, une longue et sournoise campagne pour obtenir le contrôle du nouveau continent fut entamée par la France et l'Angleterre. Chacune de ces puissances rivales essayait d'obtenir la suprématie. Bien que les Français furent les premiers à s'établir en Amérique du Nord et à y fonder des colonies, les Britanniques réussirent, petit à petit, à étendre leur domination. En 1713, les Britanniques avaient déjà obtenu de la France les territoires de la Baie d'Hudson, de Terre-Neuve et de l'Acadie.

La France se rendit compte que ses chances de succès diminuaient. Pour parer au danger, il fut décidé de bâtir une ville fortifiée qui, tout en sauvegardant l'embouchure du Saint-Laurent, protègerait l'industrie de la pêche de cette région. C'est à la suite de cette résolution que Louisbourg vit le jour et devint par la suite, la plus grande forteresse de l'Amérique. Cette imposante ville fortifiée surplombait les rochers escarpés du Cap Breton. Sa construction coûta plusieurs millions de dollars. Quatre tours munies de gros canons permettaient aux Français de protéger toute la côte.

L'Angleterre ne vit pas la chose d'un bon œil. Premièrement, elle redoutait de voir de telles forteresses aux mains des Français. En second lieu, elle ne voulait pas céder aux Français la juridiction sur les pêcheries qui étaient une source de grands revenus. Les Anglais attendirent le moment propice.

En 1744, la guerre éclata. Le gouvernement français de Cap Breton commença par la destruction d'un petit port de pêche anglais.

Les coloniaux anglais d'Amérique étaient furieux et, après quelques délibérations, ils décidèrent de se porter à l'assaut de Louisbourg. L'issue du combat tient presque du miracle.

La puissante forteresse française, armée de canons de gros calibres, maniés par des soldats bien entraînés, était prête à toute éventualité. Le fort se dressait devant l'armée britannique, forte d'environ 3,500 hommes. A vrai dire, ce n'était pas une armée régulière; elle était composée de fermiers, de valets de ferme, de pêcheurs et autres qui, pour la plupart, n'avaient jamais reçu d'entraînement militaire. Le général

had had no military training whatsoever. Their general was a merchant. This army set out on the 4th of March, 1745, and arrived near Louisburg in the beginning of May.

Had the French defenders of Louisburg taken the initiative, the English Army would not have had any chance of success. Apart from the fact that the English were not trained soldiers, they were also short of arms and provisions. They did have luck, however. For example, they had brought along huge cannonballs, but no cannon out of which to fire them. Their small cannon could not inflict any damage upon the solid fortress. As luck would have it, they found a number of large cannon on the seashore, which the French had hidden in the sand. It did not take long for the large French cannon to break through the walls of Louisburg. The English were also short of food and ammunition, but they captured a French warship which arrived in Louisburg loaded with provisions. On the 15th of June, 1745, Louisburg surrendered.

Three years later, Britain returned the fortress to the French, but the war between England and France was renewed in 1756, and, while the French were better prepared this time, the English, too, were much stronger. Great numbers of English troops and a mighty British Fleet besieged the fortress. On the 26th of July, 1758, Louisburg fell once again to the British. Their joy at this victory was great, for they knew that after the capture of Louisburg, all of North America would be theirs. The only city still held by the French was Quebec. The end of the French regime in Canada was at hand.

The British Government ordered the fortress of Louisburg to be demolished. Today there remains of the once mighty fortress only the memory of a lost battle.

était un marchand. Cette armée se mit en marche le 4 mars 1746 et arriva devant le fort de Louisbourg au début du mois de mai.

Si les défenseurs de Louisbourg avaient pris l'initiative, l'armée anglaise n'aurait pas eu la moindre chance de succès, car, à part le fait que les Anglais n'étaient pas des soldats de l'armée régulière, ils ne possédaient pas une quantité suffisante d'armes et de munitions. Mais la chance leur sourit malgré tout. Par exemple, ils avaient emmené une certaine quantité de gros boulets, mais ils avaient oublié les canons! Ils possédaient simplement un canon de petit calibre qui ne pouvait qu'érafler les solides murs du fort. Heureusement, ils eurent la chance inouie de découvrir un certain nombre de canons de gros calibre que les Français avaient cachés le long de la côte. A l'aide de ces canons, une brèche fut bientôt pratiquée dans les murs du fort. Les Anglais étaient déjà à court de munitions et de vivres, lorsqu'ils réussirent à s'emparer d'un bateau français chargé de vivres et de munitions qui arrivait au port. Le 15 juin 1745, Louisbourg dut se rendre.

Trois ans plus tard, la forteresse fut rendue aux Français, mais, en 1759, une nouvelle guerre fut déclarée entre la France et l'Angleterre. Les Français se défendirent mieux cette fois, mais les Anglais remportèrent quand même la victoire. La flotte britannique et un grand nombre de troupes assiégèrent la forteresse qui fut reprise par les Anglais le 26 juillet 1758. Les Britanniques se réjouirent beaucoup de cette victoire, car ils savaient que, dorénavant, il ne leur faudrait plus longtemps pour conquérir toute l'Amérique du Nord. La seule cité française qui tint encore bon était la ville de Québec. Le régime français au Canada touchait à sa fin.

La forteresse de Louisbourg fut complètement détruite par ordre du gouvernement britannique, et il ne demeure plus que le souvenir de cette bataille.

TICONDEROGA

IN the middle of the eighteenth century the frontier between French Canada and the English colonies in America was guarded by a number of fortresses, occupying strategic points and designed to protect the country from attack. Such fortresses were the fortified villages of Niagara, Frontenac (today the city of Kingston, Ontario), Quebec, Louisburg and Ticonderoga. Prior to the Seven Years War between England and France (1756-1763), these fortresses were regarded by the French as their main defence.

Fort Ticonderoga stood at the head of Lake Champlain. The surrounding country was wild and the fort was situated in the heart of the Iroquois country. Ticonderoga lay across the route which was used frequently by the armies of the warring nations, whether French, English or Indian. It was known as the "Champlain Route", or the "Champlain Road", the path extending from the St. Lawrence River to the Richelieu River, a waterway leading to New York. Fort Ticonderoga guarded this route, and was therefore an important strategic outpost.

The war broke out in 1756. Both camps sent reinforcements to America. The French sent a group of able officers, headed by General Marquis de Montcalm. The British also strengthened their garrisons.

From the outset of the war, Montcalm had determined to take the offensive, and, during the first two years, he won a number of battles. The English were greatly displeased with this and their anger was further heightened by the treatment accorded to British prisoners of war. Many Indians were serving with the French. Drunk on whisky, and in the heat of battle, they would attack and kill great numbers of prisoners who were powerless against them. Historians believe that Montcalm was innocent of these massacres. The Indians did not obey his commands. But facts remain facts. The British were highly outraged when they learned about the fate of their men who had been captured.

In 1758 England sent to New York military reinforcements, numbering about 15,000 troops, under the command of General Abercrombie. This army was rushed into battle against the French.

General Montcalm, having learned of the British plans, set out immediately to meet the enemy. He could only gather an army of 4,000 men, because of various difficulties that he had encountered, and because of the presence of enemies within his own ranks. He prepared the defense of Ticonderoga, knowing full well that his army could not withstand a British force of 15,000 men. Surrender, however, was unthinkable to him. He therefore did all that he could to prepare for the coming battle. He ordered that a thick wooden barricade be erected, with openings through which his soldiers could fire. He also ordered that the trees

TICONDEROGA

VERS le milieu du 18e siècle la frontière entre le Canada français et les colonies anglaises d'Amérique était gardée par un certain nombre de forteresses situées à des points stratégiques pour parer à toute attaque. Ces forteresses consistaient en villages fortifiés parmi lesquels se trouvaient Niagara, Frontenac (de nos jours la ville de Kingston, Ontario), Québec, Louisbourg et Ticonderoga, Avant la Guerre de Sept Ans qui opposa l'Angleterre à la France de 1756 à 1763, les Français considéraient ces forteresses comme leur principale ligne de défense.

Le Fort Ticonderoga se trouvait au bord du lac Champlain dans une région sauvage, au centre de la contrée des Iroquois. Ticonderoga était situé sur le passage d'une route fréquemment employée par les troupes de soldats partant en guerre, Français, Anglais ou Indiens. Cette route portait le nom de "route Champlain" ou "Champlain Road". Elle menait du fleuve Saint-Laurent à la rivière Richelieu, voie fluviale conduisant directement à New-York. Le fort Ticonderoga gardait cette route, qui était un point stratégique des plus importants.

En 1756, lorsque la guerre éclata, les deux camps envoyèrent des renforts de leur pays respectif vers l'Amérique. Les Français firent venir un groupe d'officiers expérimentés, sous le commandement du général marquis de Montcalm, tandis que les Anglais envoyaient des troupes pour renforcer leurs garnisons.

Dès le début du conflit, Montcalm décida de prendre l'offensive; il réussit à gagner quelques batailles au cours des deux premières années de guerre. La colère des Anglais fut à son comble lorsqu'ils apprirent le traitement infligé aux prisonniers de guerre. Plusieurs Indiens servaient dans l'armée française; encore pleins de la fureur du combat, ils se saoûlaient à l'eau-de-vie, et massacraient les pauvres prisonniers sans défense. Les historiens sont d'avis que Montcalm ne fut pas complice de ces meurtres, mais qu'il ne possédait pas l'autorité nécessaire pour se faire obéir des Indiens. Cependant, les faits étaient là, aussi les Britanniques furent-ils outrés en apprenant le sort qu'avaient subi les leurs.

En 1758, l'Angleterre envoya à New York des renforts d'environ 15,000 hommes, sous le commandement du général Abercrombie, qui s'apprêta à attaquer les Français.

Apprenant cette nouvelle, le général de Montcalm prit les dispositions nécessaires en vue d'affronter l'ennemi. Il éprouva beaucoup de difficultés à réunir une armée, car il avait des ennemis dans son propre camp. Aussi, ne réussit-il qu'à rassembler environ 4,000 hommes. Montcalm fit fortifier Ticonderoga, mais il savait fort bien que son armée ne pourrait résister à 15,000 soldats anglais. Toutefois, n'étant pas homme à se rendre, il se prépara à la bataille. Il fit ériger une épaisse barricade en bois, percée d'ouvertures, afin de protéger ses soldats. Il donna aussi l'ordre d'abattre les arbres qui se trouvaient dans les forêts aux environs

be cleared from the dense forest which surrounded the barricade. The uprooted trees remained lying one on top of the other, forming a sort of zig-zag barrier.

The British Army encountered great difficulty in its march to Ticonderoga. There were no roads, and they had to drag their arms and provisions through muddy bogs and thick forests. Footsore and weary, the British Army trudged its way forward to the fortress, where the French stood ready and waiting for them.

The British General Abercrombie had also committed a fatal tactical blunder. Instead of surrounding the fortress, and cutting off the French from outside aid, he ordered a direct attack.

The French, protected by the trees and barricades, met the attacking British with a hail of deadly fire. It was a terrible sight. Many English soldiers perished in every onslaught. They stormed, ran, crawled up to the barricades, but could not break through the French defences. The attack started in the afternoon and was over by evening. More than 2,000 British soldiers had fallen in the battle. The attack was called off. Montcalm was the victor, but his victory was to be of short duration. A year later, Ticonderoga was besieged by General Amherst who replaced General Abercrombie.

In this second battle of Ticonderoga, the Scots, especially their famous 'Black Watch' Regiments, distinguished themselves. The following story is told about the Scottish commander, Major Campbell, who fell in the battle of Ticonderoga.

Once, while Major Campbell was in his home in Scotland, there came to him a man asking that he hide him as he was being sought for murder. Campbell gave him shelter, for the stranger assured him that he had committed the murder in self-defence. He soon learned however, that the man who had been murdered was his own cousin. Campbell kept his word, nevertheless. He asked the murderer to leave his house, but did not turn him over to the authorities. At night, so it is told, the murdered cousin came to Campbell in a dream, saying: "Innocent blood was shed. Do not protect the murderer." Campbell ignored the dream, and helped the murderer escape. The murdered cousin appeared to him once again, in a dream, and this time he said: "We shall meet at Ticonderoga." Campbell did not understand what this meant, but the word, Ticonderoga, never left his mind.

Years later he was sent to America with Abercrombie's Army. It was only on approaching the fortress that he learned of its name, Ticonderoga. Campbell knew that his hours were numbered, but fought bravely. He and his son fell in the battle. His name and the legend remain in the annals of the 'Black Watch' Regiment.

du fort. Les arbres abattus restèrent amoncelés les uns sur les autres, formant ainsi une barricade en forme de zig-zag.

L'armée britannique fut en proie à de grandes difficultés au cours de sa marche vers Ticonderoga. Comme il n'y avait pas de routes, les soldats, tout armés et portant leurs provisions, devaient passer dans la boue et traverser d'épaisses forêts et ils atteignirent le fort, épuisés, les pieds meurtris alors que les Français n'avaient eu qu'à les attendre.

C'est alors que le général Abercrombie commit une grave erreur de tactique. Au lieu d'encercler le fort, isolant ainsi les Français, il décida d'attaquer de front.

L'armée française, protégée par les barricades et les troncs d'arbres gisant sur le sol, salua l'arrivée des Anglais par une rafale de coups de feu. Ce fut terrible, les Anglais tombaient par dizaine à chaque rafale. Ils avançaient, couraient et grimpaient sur les barricades, mais ne réussissaient pas à les franchir. La bataille commença l'après-midi et se termina dans la soirée. Plus de deux mille soldats anglais tombèrent sur le champ de bataille et Abercrombie, voyant qu'il avait perdu la bataille, se retira avec le reste de son armée. Montcalm était encore une fois vainqueur, mais sa victoire fut de courte durée, car, un an plus tard, Ticonderoga fut assiégé par le général Amherst, remplaçant du général Abercrombie.

Le fameux régiment écossais "Black Watch" se distingua tout particulièrement lors de cette deuxième attaque sur Ticonderoga. Voici ce que l'on raconta au sujet du commandant de ce valeureux régiment, le major Campbell, qui mourut lors de cette bataille.

Un jour, un homme vint trouver le major Campbell dans sa résidence en Ecosse, et lui demanda sa protection, car il était recherché pour meurtre. Campbell accepta de l'aider lorsque l'étranger lui certifia qu'il avait commis ce meurtre en état de légitime défense. Il cacha le meurtrier, mais apprit bientôt que l'homme qui avait été assassiné par l'étranger était son propre cousin. Il tint parole et ne le livra pas à la police, mais le pria de quitter sa maison. Le major Campbell rêva que son cousin lui apparaissait et lui disait: "Le sang innocent a été répandu, ne protège pas le meurtrier". Campbell aida quand même le meurtrier à s'échapper, mais, un peu plus tard, le cousin assassiné lui apparut de nouveau au cours d'un rêve, lui disant cette fois: "Nous nous rencontrerons à Ticonderoga". Campbell ne comprit pas ce que cela signifiait bien que le mot "Ticonderoga" demeura dans sa mémoire.

Des années plus tard, il fut envoyé en Amérique afin de rejoindre l'armée du général Abercrombie, et ce ne fut qu'à l'approche de la forteresse qu'il apprit que son nom était Ticonderoga. Comprenant que son heure était arrivée, il combattit courageusement et fut tué, ainsi que son fils, au cours de cette bataille. Son nom et la légende figurent dans les annales du régiment "Black Watch".

THE PLAINS OF ABRAHAM

ON a sunny day in June, 1759, a great armada sailed into the St. Lawrence river. French fishermen gazed in wonder and astonishment at the vessels, which were flying the British ensign. The ships carried a great number of troops and bristled with cannon and military equipment of all types. The fleet was under the command of Admiral Saunders and General James Wolfe, chosen by the British Government for the important task of capturing French Canada's last outpost, the City of Quebec. On the 26th of June, 1759, the defenders of Quebec sighted the first English ships, and soon the waters of the St. Lawrence River around Quebec were filled with the English fleet.

Young General James Wolfe, observing the fortress of Quebec, understood immediately the difficulty facing him. The fortress was built atop a rocky cliff, three hundred feet high, which was surrounded by the waters of the St. Lawrence and St. Charles Rivers. The city and its surrounding countryside were strongly defended. Wolfe had to find a proper place to land his troops, or he could not attack the city.

The defender of Quebec, the French General, Louis Montcalm, was aware of Wolfe's problem, and planned to prevent the British Army from landing. He knew that if this landing could be stalled until October, Quebec would be safe for at least another year; the Canadian winter would force the English to withdraw.

The British troops were divided into three military camps and in the meantime, started to bombard the fortress of Quebec from the south side. True, the heavy bombardment caused much damage to the city, but it did not alter basically the strategic situation. General Wolfe carried out several landing attempts but these proved to be unsuccessful. The French repulsed all his attacks.

Time was running out. July and August passed without results. Physically weak, and suffering from illness, General Wolfe began to doubt whether he would accomplish his mission. September arrived. Looking for the thousandth time at the rocky cliff of Quebec, General Wolfe pondered over a plan and a place to make a landing. He felt that he could win in open battle with the French. But how could he reach the battlefield?

All at once an idea flashed through his mind. It appeared to be absurd and impossible, but, not having any alternative, he decided to carry it out. He did not reveal his newly found plan to anyone. What was this plan?

Wolfe noticed that on the high and rocky shore, about two miles from Quebec, there appeared an inlet, leading to a flat plain, about one mile from the city. No one thought that a landing was possible there. The cliff was high, and nothing could have been accomplished without

LES PLAINES d'ABRAHAM

PAR une journée ensoleillée de juin 1759, une flotte imposante remontait le fleuve Saint-Laurent. Les pêcheurs français, surpris et étonnés, regardaient passer la flotte britannique, lourdement chargée de troupes et d'équipement militaire. Cette flotte était sous le commandement de l'amiral Saunders et du général James Wolfe auxquels le gouvernement britannique avait confié une mission importante: la capture du dernier fort du Canada français, la citadelle de Québec. Le 26 juin 1759, les défenseurs de Québec aperçurent les premiers bateaux, et bientôt toute la flotte britannique mouilla dans les eaux du fleuve Saint-Laurent, à proximité de Québec.

Observant la forteresse de Québec, le jeune général James Wolfe vit immédiatement les difficultés qui se présenteraient à lui. La forteresse était bâtie sur un rocher escarpé de 300 pieds de haut baignant dans les eaux du fleuve Saint-Laurent et de la rivière Saint-Charles. La cité et ses environs étaient bien fortifiés. Wolfe devrait découvrir un endroit propice au débarquement de ses troupes, autrement il ne pourrait attaquer la cité.

Louis de Montcalm, le général français qui défendait Québec, connaissait sa situation stratégique. Aussi, pensait-il que s'il pouvait retarder l'attaque jusqu'au mois d'octobre, Québec serait en paix pour au moins un an encore, car l'hiver canadien forcerait les Anglais à se retirer.

Les troupes britanniques divisées en trois camps, commencèrent à bombarder Québec du côté sud. Le lourd bombardement fit des dommages considérables, mais ne modifia point la situation stratégique. Wolfe essaya plusieurs tentatives de débarquement, mais en vain, car toutes les attaques furent repoussées par les Français.

Le temps passait, juillet et août n'amenèrent aucun résultat. Malade et affaibli, le général Wolfe commençait à douter du succès de son entreprise. Septembre arriva, regardant pour la centième fois le rocher de Québec, Wolfe essayait de trouver un plan qui lui permît de débarquer ses troupes sur la terre ferme. Il sentait qu'il aurait la victoire s'il réussissait un combat corps à corps avec les Français. Mais comment y parvenir?

Tout à coup il eut une idée — c'était absurde et impossible, mais n'ayant pas d'alternative, il décida de mettre son plan à exécution coûte que coûte. Il ne révéla pas son idée, même à ses intimes. Quel était donc ce plan?

Wolfe avait remarqué qu'à environ deux milles de Québec, sur la rive escarpée, il y avait une petite baie menant vers une plaine située à approximativement un mille de la cité. Personne n'avait jamais pensé à faire débarquer des troupes à cet endroit, car le rocher était haut et tombait à pic; le seul moyen d'en atteindre le sommet était d'escalader le rocher. Wolfe décida que le débarquement se ferait à cet endroit.

Le général Louis de Montcalm connaissait l'endroit; ne voulant

resorting to climbing. It was there that General Wolfe determined to carry out his landing.

The defender of Quebec, General Louis Montcalm, had noted the place, and, not wishing to leave anything to chance, had ordered a battalion to be stationed at that spot. But Vaudreuil, the Governor of Quebec, recalled his order, remarking that, "The British do not possess wings. They cannot fly onto the cliff."

General Wolfe set his plan into operation on the 10th of September, 1759. The British ships started to manoeuvre back and forth in order to divert the attention of the French. On the 12th of September British artillery heavily bombarded the French shore-line. On the same day General Montcalm again ordered a large detachment of troops to Anse-au-Foulon, the cove which General Wolfe had chosen as the site for his landing attack. Governor Vaudreuil once again recalled the order saying "It is not necessary. We shall see to-morrow." But to-morrow never came.

On the night of the 12th, the majority of the British ships loaded with troops sailed for Anse-au-Foulon. It was a dark night. The British invasion army reached the place in dead silence. When the first landing-ship approached the shore, a French patrol called out, "Qui Vive?" "La France", came back the reply from one of the English soldiers who spoke French fluently. The patrol allowed them through, thinking that it was a provisions boat which used often times to come in the darkness of night with aid for the beleaguered city.

From that moment on, developments proceeded rapidly. The soldiers of the first ship overpowered the French guard. The road was open. The English ships, packed with troops and loaded with arms and munitions arrived in rapid succession. Day was dawning. The French realized what had happened, but it was too late.

At eight o'clock in the morning five thousand English troops were arrayed in battle-order before Quebec. They mobilized on the field, known as the "Plains of Abraham". When General Montcalm heard of the successful invasion, he immediately mobilized his army, but was hindered by Governor Vaudreuil, even at that critical moment.

The battle started at 9:30, on the morning of September 13th. The French advanced, firing at the British. Only a quarter of a mile separated the two armies. The French, as was the military custom during the 18th century, marched in closed ranks, halting every twenty-five yards to fire a volley. The British withheld their fire until the French approached to within forty yards of them. Then Wolfe gave the order to fire.

A hail of bullets poured into the French ranks. Their lines faltered. The British fire continued mercilessly and in a short time the French Army broke ranks and started streaming back to the city. Three days

rien laisser au hasard, il y avait fait stationner un bataillon. Cependant, Vaudreuil, le gouverneur de Québec, rappela le bataillon, disant que les Britanniques ne possédaient pas d'ailes et que, par conséquent, ils ne pourraient pas atteindre le sommet de la falaise.

Le 10 septembre 1759, le général Wolfe mit son plan à exécution. Les bateaux britanniques commencèrent à manoeuvrer afin d'attirer l'attention des Français. Le 12 septembre, l'artillerie britannique bombardait la côte française et, le même jour, le général de Montcalm, méfiant, avait de nouveau envoyé un lourd détachement de troupes à l'Anse-au-Foulon, que le général Wolfe avait choisi pour le débarquement. Mais encore une fois, le gouverneur de Vaudreuil rappela les troupes, disant: "Tout cela n'est pas nécessaire. Nous y verrons demain". Ce lendemain n'arriva jamais.

Au cours de la nuit du 12 septembre, la plus grande partie des bateaux britanniques, chargés de troupes, navigua vers l'Anse-au-Foulon. La nuit était très noire, donc propice à un débarquement. En silence, les troupes d'invasion arrivèrent à destination. Lorsque le premier contingent débarqua, une sentinelle française s'écria: "Qui vive?", et une voix répondit: "La France". C'était un soldat anglais parlant bien le français qui avait répondu. La sentinelle les laissa passer croyant qu'il s'agissait d'un bateau d'approvisionnement qui venait souvent apporter de l'aide à la cité assiégée, au cours de la nuit.

Dès cet instant, la situation se développa rapidement. Les soldats du premier bateau s'emparèrent des sentinelles françaises, laissant la route libre. L'un après l'autre, les bateaux anglais arrivèrent, déchargeant des troupes et des munitions. Ce ne fut qu'à l'aube que les Français se rendirent compte de ce qui se passait, mais il était déjà trop tard.

A huit heures du matin, 5,000 soldats britanniques étaient rangés en ordre de bataille face à la citadelle de Québec, à l'endroit nommé les Plaines d'Abraham. Lorsque le général de Montcalm apprit la nouvelle du débarquement, il mobilisa immédiatement toutes ses troupes, mais, à ce moment critique, le gouverneur Vaudreuil lui mit des bâtons dans les roues.

Le 13 septembre à 9.30 heures du matin, la bataille commença. Les Français s'avancèrent vers les Anglais en ouvrant le feu. Un quart de mille seulement séparait maintenant les deux armées. Les Français, en costume du 18e siècle, marchaient en rangs serrés, s'arrêtant tous les 25 pieds pour tirer une volée de balles. Les Anglais restaient sur la défensive et ne tirèrent que lorsqu'ils en reçurent l'ordre de Wolfe, au moment où les Français n'étaient plus qu'à une quarantaine de pieds de distance.

Une formidable rafale de coups de feu s'abattit sur les Français, éclaircissant leurs rangs. Les Britanniques continuèrent à faire feu sans merci, et bientôt l'armée française en déroute tenta de regagner la cité. Trois jours plus tard, Québec capitulait. La destinée du Canada s'accomplissait, le pays devenait une colonie britannique.

Le général Wolfe trouva lui aussi la mort lors de la bataille des

later Quebec surrendered officially. Canada's destiny was set. Canada became a British colony.

General Wolfe, the British commander, also died in the battle of the "Plains of Abraham". Both General Wolfe and General Montcalm fell as heroes, in the service of their countries. To-day there stands in Quebec a monument erected in honour of both Generals. On it is carved a Latin inscription which reads: "Courage led them to mutual death; history gave them mutual fame; and later generations, a mutual monument."

plaines d'Abraham. Les généraux Wolfe et Montcalm tombèrent en héros sur le champ de bataille, chacun pour sa patrie. A Québec, un monument fut érigé à la mémoire de ces deux généraux. L'inscription latine suivante y est gravée : "Le courage les mena tous deux vers la mort, l'Histoire les rendit tous deux célèbres, et la postérité a érigé un monument à leur mémoire".

GENERAL JAMES WOLFE, THE CONQUEROR OF QUEBEC

GENERAL James Wolfe was born into a military family. He was the son, grandson, and great grandson of soldiers, who had faithfully served their country. Although a born soldier, General Wolfe did not possess great physical strength. He suffered from rheumatic ailments, and was often sick. Over six feet tall, thin, red haired, snub nosed and pale, he was not impressive in appearance. He did not have much of an education, having enlisted at the age of fourteen in the army, where he served alongside his father. At fifteen he was promoted to the rank of officer, and remained on active service until his death.

At the beginning of the "Seven Years' War" between England and France (1756-1763), the British Army in North America suffered a number of defeats. In England the situation was regarded with utmost gravity, as British prestige had fallen low.

It was at this time that William Pitt was elected Prime Minister. Pitt resolved that Britain should emerge victorious, and threw himself wholeheartedly into the battle. One of his plans was to capture Canada from the French ,and his first move was to take Louisburg, which guarded the entrance to the St. Lawrence River and was the strongest French fortress at the time. An army of twenty-four thousand men, as well as a large fleet, were despatched to carry out the operation. The expedition was headed by General Amherst and his assistant, the young officer, James Wolfe. Wolfe distinguished himself in the Battle of Louisburg. The fortress fell to the British and Wolfe was raised to the rank of Major General.

In the following years, when plans were being made in England for the capture of the City of Quebec, Premier William Pitt chose James Wolfe to lead the expedition. The choice caused astonishment among the senior generals who did not think too highly of Wolfe. When one of the generals told King George III that Wolfe was mad, the King, who favoured Wolfe's appointment as Commander of the Quebec expedition, answered: "If he be mad, then it would be a great pleasure to me if he should bite some of my other generals."

One noticed in Wolfe his strong character, endurance, and his consistent and absolute devotion to duty. General Wolfe was loved by his friends and by all those who came in contact with him. In spite of his sternness, he was well liked by his troops, as indicated in the words of a popular song of the time: "Wolfe is our commander, they shall taste our steel."

When Wolfe's army set sail for Quebec in a flotilla consisting of

LE GENERAL WOLFE, CONQUERANT DE LA VILLE DE QUEBEC

LE général James Wolfe était issu d'une famille de militaires. Il était fils, petit-fils et arrière-petit-fils de soldats qui servirent fidèlement leur patrie. Soldat né, James Wolfe ne possédait pas une grande force physique et n'était pas bel homme. Il souffrait de rhumatismes et était souvent malade. Mesurant plus de six pieds, maigre, le nez camus, les cheveux roux et le teint pâle, il n'était guère séduisant. Son éducation était médiocre; à l'âge de 14 ans, il s'était déjà engagé dans l'armée où il servait à côté de son père; à 15 ans, il fut promu officier. Il demeura en service actif jusqu'à sa mort.

Au début de la guerre de Sept-Ans entre l'Angleterre et la France (1756-1763), l'armée britannique subit de nombreuses défaites en Amérique du Nord tandis qu'en Angleterre, la situation était critique. Le prestige britannique était tombé bien bas.

C'est à cette époque que William Pitt fut élu premier ministre. Pitt avait décidé que la Grande-Bretagne serait victorieuse et il se lança corps et âme dans la bataille. Il projetait d'enlever le Canada aux Français. Son premier geste fut de s'emparer de Louisbourg, qui gardait l'embouchure du fleuve Saint-Laurent et qui était la plus solide forteresse française de ce temps-là. Une armée forte de 24,000 hommes, ainsi qu'une flotte puissante, furent envoyées au Canada afin de mettre ce plan à exécution. Le commandant de cette expédition était le général Amherst ayant pour assistant, le jeune officier, James Wolfe; ce dernier se distingua tout particulièrement à la bataille de Louisbourg. La forteresse tomba aux mains des Britanniques et Wolfe obtint le rang de major général.

Au cours des années suivantes, on établit des plans en Angleterre afin de prendre la cité de Québec. Le premier ministre, William Pitt, choisit James Wolfe comme chef de l'expédition, au grand dépit des généraux de l'état-major qui n'estimaient pas outre-mesure les capacités de James Wolfe. L'un des généraux traita James Wolfe de fou devant le roi Georges III. Celui-ci qui estimait Wolfe, répondit: "S'il est fou, alors qu'il me fasse le plaisir de mordre quelques-uns de mes généraux".

Le général Wolfe était d'une volonté inébranlable; son sens du devoir était absolu. Il était aimé de ses amis ainsi que de tous ceux qui le rencontraient et malgré sa sévérité, il était apprécié de ses troupes. L'une des chansons populaires de l'époque proclamait: "Wolfe est notre commandant; ils tâteront de notre fer".

Sa santé déjà altérée, le général Wolfe accompagné d'une armée comprenant 49 vaisseaux de guerre et 200 navires de transport, mit le cap sur Québec. Il sentait qu'avec la tension et la fatigue de la bataille imminente, ses jours étaient comptés. Il fit son testament le 8 juin 1759, à bord du "Neptune", au cours de son voyage vers Québec.

Il laissait la plus grande partie de sa fortune à sa mère, qui était veuve. Il fit don de diverses sommes d'argent à ses amis officiers et à

forty-nine men-of-war and two hundred transport vessels, his health was already failing. He sensed that, in the coming strain and stress of battle, his days were numbered, and wrote his will on the 8th of June, 1759, aboard the "Neptune" during the voyage to Quebec.

He left most of his fortune to his widowed mother. Various sums were bequeathed to his fellow officers, and servants. To his fiancee, he left her portrait, framed in a setting of precious stones. His will is retained as an historical document in "Somerset House", London.

The siege of Quebec lasted several months. A number of attacks were attempted against the city, but without success. In August of 1759, Wolfe fell ill and was confined to bed for several weeks. The house in which he set up his headquarters and in which he lay sick, may still be seen to this day. On the road between Montmorency Falls and Quebec City, one can see a small, low-built house with thick whitewashed walls. This was Wolfe's modest residence.

It was from his sick bed that Wolfe planned the attack. On the 31st of August, 1759, he wrote to his mother of his disappointments because he could not engage the enemy in open battle. The French, he wrote, have locked themselves in their fortress and to come to grips with them would entail the shedding of rivers of blood. Even then he was not certain that he would obtain the desired results.

On the 2nd of September, 1759, he sent his last report to William Pitt, the British Premier. In his report he wrote that the obstacles he encountered were far greater than he had anticipated. He again stressed the fact that he was not eager to shed the blood of his brave soldiers, unless it was with a view of pursuing a clear course to victory.

During the ten days that followed the General feverishly sought a plan for the attack. He trusted only a handful of closely associated officers with the details of his plans. On the 13th of September he got the attack underway and it was successfully accomplished. Wolfe, at the head of his troops, was one of the first to fall on the battlefield. Mortally wounded, he lived long enough to hear the news that the French had been defeated. His last words were: "Thank God, I die with a clear conscience."

ses domestiques. A sa fiancée, il laissa un portrait de celle-ci entouré d'un cadre qu'il avait fait sertir de pierres précieuses. Le testament de James Wolfe est conservé à "Somerset House" à Londres, comme document historique.

Le siège de Québec dura plusieurs mois. Plusieurs attaques n'eurent pas de succès. En août 1759, James Wolfe tomba malade et dut garder le lit pendant plusieurs semaines. La maison dans laquelle il établit son quartier-général et où il tomba malade peut encore être visitée de nos jours. Sur la route menant des chutes de Montmorency à la ville de Québec, l'on aperçoit une petite maison basse, blanchie à la chaux: c'est dans ce modeste logis que Wolfe résida.

James Wolfe dirigea l'attaque de son lit de malade et, le 31 août 1759, dans une lettre à sa mère, il dit sa déception de ne pouvoir se porter à l'attaque de l'ennemi sur le champ de bataille. Il racontait que les Français s'étaient barricadés dans leur forteresse et que beaucoup de sang coulerait avant qu'on en vint à un combat corps à corps. Enfin, il avouait n'être même pas sûr de l'issue heureuse de la bataille.

Le 2 septembre 1759, il fit parvenir son dernier rapport au premier ministre, William Pitt. Ce rapport disait que les obstacles rencontrés dépassait toutes les prévisions; aussi, le général n'était-il pas du tout disposé à voir mourir ses braves soldats à moins d'être sûr de la victoire.

Pendant les dix jours qui suivirent, Wolfe s'absorba fièvreusement dans l'étude d'un plan d'attaque dont il ne dévoila les détails qu'à quelques officiers de son état-major en qui il avait pleine confiance. Le 13 septembre, il passa à l'attaque et obtint une victoire éclatante. Wolfe mena lui-même ses soldats à l'attaque et fut l'un des premiers à tomber sur le champ de bataille. Mortellement blessé, il vécut cependant assez longtemps pour apprendre la nouvelle de la défaite des Français. Les derniers mots qu'il prononça furent: "Dieu merci, je meurs la conscience tranquille".

THE GOLDEN DOG

TRUTH and fiction, how closely they are interwoven!

Over the main entrance of the post office in the City of Quebec, there is a strange stone that is set in the wall of the building. On the stone one can see the carved figure of a dog, chewing on a bone. Below appears an inscription, written in French, which consists of the following four lines:

> I am a dog that gnaws a bone,
> While gnawing it I take my ease,
> But a time will come which is not yet,
> When I shall bite him who now bites me.

The exact origin of the stone is unknown. However, the inscription and the picture of the dog are linked with the story of a Quebec merchant, Nicholas Philibert, who tried to save the inhabitants of Quebec from the corruption of Francois Bigot, the city's Governor.

The 'Legend of the Golden Dog' became well known in Canada because of a book, written by William Kirby, published under this title in 1887. The book is an historical narrative, in which the author describes Quebec during its last days of French rule, when the country, after a series of long and bitter wars, fell to the British.

Napoleon once said that an army marches on its stomach. It is well known that no nation can win a war if its people are hungry and demoralized. At the most critical period of French rule in Canada, during the wars between England and France, when the country was suffering severely, some of its leaders dragged it to further disaster through corruption and fraud. One of these notorious leaders was Francois Bigot, the Intendant or chief of economic affairs in New France.

French Canada was carrying on a bitter struggle with England. The French had built a number of fortresses for their defence. Their military leader, General Louis Montcalm did his utmost to repulse the English attacks, but the efforts and sacrifices of the patriotic French often came to naught because of the corruption of men like Francois Bigot.

During the period when Bigot was governor of Quebec, he gathered about him a group of friends who, like himself, cheated the government whenever they could. Where the government provided funds for the building of fortifications, they used materials of inferior quality, claimed to have purchased expensive material, and pocketed the difference in costs. They did the same when providing ammunition and provisions to the soldiers. Francois Bigot ordered the French farmers to sell their

LE CHIEN d'OR

COMME la vérité et la fiction se chevauchent!

Au-dessus de l'entrée principale du bureau de poste de la cité de Québec se trouve une pierre curieusement taillée; elle représente un chien couché, rongeant un os. Le quatrain suivant y est gravé:

> Je suis un chien qui ronge l'os
> En le rongeant je prends mon repos
> Un jour viendra qui n'est pas venu
> Où je mordrai qui m'aura mordu.

L'origine exacte de cette pierre est inconnue, cependant, le poème et la statue de ce chien se rapportent à l'histoire d'un marchand de Québec, Nicolas Philibert, qui tenta de préserver le peuple de Québec de la corruption du gouverneur de la cité, François Bigot.

La légende du chien d'or fit le tour du Canada grâce à l'édition d'un livre de William Kirby, publié en 1887. Ce livre est une narration historique dans laquelle l'écrivain décrit Québec pendant les derniers jours du régime français, jusqu'au moment où, après de longues et amères batailles, le pays revint à l'Angleterre.

Napoléon dit un jour qu'"une armée marche sur son estomac", et tout le monde sait qu'aucune nation au monde ne peut gagner une guerre si le peuple a faim et est démoralisé. Durant la période la plus critique du régime français au Canada, au cours des guerres entre la France et l'Angleterre, alors que le pays souffrait beaucoup, quelques-uns de ses gouvernants entraînèrent le pays vers le désastre par leur vénalité. L'un de ces gouvernants odieux fut François Bigot, intendant ou chef des affaires économiques de la Nouvelle-France.

Le Canada français poursuivait toujours une lutte cruelle contre l'Angleterre. Les Français avaient construit plusieurs forteresses et leur chef militaire, le général Louis de Montcalm, fit tout ce qu'il y avait moyen de faire pour repousser les attaques anglaises. Toutefois, malgré les efforts et les sacrifices des Français patriotes, leurs espoirs furent réduits à néant à cause de la vénalité d'hommes tels que François Bigot.

Au cours de sa carrière de gouverneur de Québec, Bigot s'entoura d'un groupe d'amis qui, comme lui, ne perdaient pas une seule occasion de frauder le gouvernement. Lorsque des fonds étaient mis à leur disposition pour construire des fortifications, ces messieurs employaient des matériaux de qualité inférieure, mais produisaient des factures pour des matériaux d'un prix supérieur: ils empochaient ainsi la différence. La même chose se produisait lorsqu'il s'agissait d'approvisionnements et de munitions pour les soldats. François Bigot ordonna aux fermiers français de vendre leurs produits à un prix déterminé par lui. Ensuite, par l'entremise de ses agents, il achetait ces mêmes produits qu'il revendait avec de gros bénéfices. Il accumulait des provisions et lorsque la population manquait de vivres, il les revendait à des prix exorbitants. Il dévoila son caractère dans une lettre écrite à un ami, commandant

produce at a price set by him. With the help of agents, he bought the produce and resold it to himself in the capacity of Governor at a large profit. He stored provisions and, when the population was starving, sold them at inflated prices. His character is readily revealed in the following passage of a letter which he wrote to a friend, the commander of a Canadian fortress: "Make use of your position, my dear friend, steal and cheat, be free to do whatever you wish, so that we may return to France where you will buy a ranch not far from mine."

While the populace suffered from hunger and misery, constant parties and celebrations were being given in Bigot's palace. Not far from his residence, he built a granary to store large quantities of goods. The population named this building, La Friponne, which means "The Cheat."

For ten years (1748-1759) New France suffered from this internal corruption. The well-known Canadian historian, F. Parkman, remarked that the colony was eaten up by corruption and that the worm at the heart of it was its Intendant, Bigot. General Louis Montcalm, the heroic defender of Quebec, said in his disgust with François Bigot that Canada was a land where swindlers thrived and honest people were ruined.

The story of the Golden Dog tells how Nicholas Philibert, with a group of honest men, tried to combat Bigot's actions and protect the suffering inhabitants of Quebec. The figure of Bigot remained in French Canadian history as a symbol of the wickedness and corruption of a man who hastened his country's downfall.

d'une forteresse canadienne. En voici un extrait: "Profitez, mon cher Vergot, profitez de votre place; taillez, rognez tant que vous pourrez. De la sorte, nous repartirons bientôt pour la France où nous achèterons des propriétés voisines".

Pendant que le peuple souffrait de la misère et de la faim, de splendides fêtes et réceptions se poursuivaient dans le palais. Bigot fit bâtir des entrepôts de grains à proximité de sa résidence afin d'y empiler les marchandises les plus diverses. Le peuple nomma ces entrepôts "La Friponne".

La Nouvelle France vécut sous ce régime corrompu pendant une période de dix ans, de 1748 à 1759. F. Parkman, l'historien canadien bien connu, remarque que la colonie était rongée par la corruption et que le ver qui s'y trouvait n'était autre que l'intendant Bigot. Le général Louis de Montcalm, l'héroique défenseur de Québec, était indigné des agissements de François Bigot et disait que le Canada était un pays où les escrocs prospéraient et les honnêtes gens se ruinaient.

L'histoire du "Chien d'Or" raconte comment Nicolas Philibert et un groupe d'honnêtes hommes, tentèrent de combattre les infamies de Bigot et de protéger le peuple qui vivait dans la misère. Dans l'histoire du Canada, Bigot figure comme un être vénal et pervers qui manoeuvra pour la ruine de son pays.

GENERAL LOUIS DE MONTCALM — THE DEFENDER OF QUEBEC

ON the 13th of September, 1759, General Louis Montcalm lay mortally wounded on the battlefield of "The Plains of Abraham", near Quebec. The dying general was brought to the home of Dr. Arnault.

"How long have I to live?" asked the dying general.

"Not even until morning," came back the reply.

"It is better so," the general spoke softly, "for I do not wish to witness the fall of Quebec."

Louis Joseph de Montcalm, Marquis de Saint-Veran, was one of the best French generals ever sent to North America. The name of Louis Montcalm will forever be associated with the last phase of the great duel between France and England for the sovereignty of North America.

General Louis Montcalm was born at Condiac, in the south of France, on the 28th of February, 1712. His military career started at an early age. He took part in a number of European military campaigns and attained fame for his bravery.

Montcalm was not an adventurer, however. He did not believe in the glory of war, nor in the wanton killing of troops. From the time of his youth he strove to be, as he wrote in a letter to his father, "an honest man, of good morals, brave, and a true Christian." He always attempted to carry out these precepts in life. He was a good husband and a good father to his ten children.

When it became clear that war was certain to break out between England and France, Montcalm was appointed Commander-in-Chief of the French Army in Canada.

Louis Montcalm arrived at Quebec on the 11th of May, 1756. The Seven Years' War between England and France started soon afterwards. Montcalm did not lose any time. He was determined to take the offensive before England could organize her campaign.

During the first two years Montcalm was eminently successful. He led his army from one triumph to another, capturing a number of important British fortresses. Fort Oswego on Lake Ontario, Fort William Henry on Lake George, and Fort Ticonderoga on Lake Champlain, fell into his hands. The English suffered many defeats, and it appeared that they were losing the war.

Notwithstanding these victories, the real state of affairs in French Canada as well as Montcalm's own position were far from good. The situation of French Canada might have been compared to that of an apple, rosy on the outside but worm-eaten within.

Canada was at that time under the administration of two men who

LE GENERAL LOUIS DE MONTCALM — DEFENSEUR DE QUEBEC

EN ce 13 septembre 1759, le général Louis de Montcalm gisait mortellement atteint sur le champ de bataille des plaines d'Abraham, près de Québec. Il fut transporté mourant dans la maison du Dr. Arnault.

"Combien de temps ai-je encore à vivre?" demanda le moribond.

"Même pas jusqu'à l'aube", répondit le médecin.

"Cela vaut mieux ainsi", répondit doucement le général, "car je ne désire pas être témoin de la chute de Québec".

Louis Joseph de Montcalm, marquis de Saint-Veran, était l'un des plus brillants généraux français envoyés en Amérique du Nord. Son nom sera toujours associé à l'Histoire du Canada car il est étroitement lié à la dernière phase du duel entre la France et l'Angleterre ayant pour enjeu la suprématie de l'Amérique du Nord.

Le général Montcalm naquit à Condiac, dans le sud de la France, le 28 février 1712. Il était encore très jeune lorsqu'il débuta dans la carrière des armes. Il prit part à de nombreuses campagnes en Europe et devint célèbre pour ses qualités militaires.

Montcalm n'était pas un aventurier et il ne croyait pas à la gloire des batailles, ni au massacre, à moins que ce ne fut inévitable. Dès sa jeunesse, il essaya de devenir, comme il l'écrivait à son père: "un homme honnête et moral, un brave et un vrai chrétien." Il s'efforça toujours de suivre cet idéal au cours de sa vie. Il fut un bon mari et un père dévoué à ses dix enfants.

Lorsque la guerre entre l'Angleterre et la France devint imminente, Montcalm fut nommé commandant en chef de l'armée française du Canada.

Louis de Montcalm arriva à Québec le 11 mai 1756. La Guerre de Sept Ans commença peu de temps après. Montcalm ne perdit pas de temps car il était décidé à prendre l'offensive avant que l'Angleterre ne pût organiser ses plans d'attaque.

Montcalm ne rencontra que des succès pendant deux ans, menant son armée d'une victoire à l'autre, et s'emparant d'importantes forteresses britanniques. Tout à tour, le fort Oswego sur le lac Ontario, le fort William Henry sur le lac George et le fort Ticonderoga sur le lac Champlain tombèrent entre ses mains. Les Anglais, qui accumulaient les défaites, étaient sur le point de perdre la guerre.

Nonobstant ces victoires, la situation réelle des affaires au Canada français et la position de Montcalm n'étaient pas brillantes. La situation régnant au Canada français à cette époque peut être comparée à celle d'une belle pomme, bien rouge à l'extérieur, mais rongée par les vers.

Le Canada était alors administré par deux hommes qui usaient de leur pouvoir pour en retirer des profits personnels au détriment du gouvernement et du peuple: c'étaient le gouverneur de Vaudreuil et l'intendant ou administrateur Bigot.

used their office for personal gain. They were Governor Vaudreuil, and the Intendant, or economic administrator, Bigot.

Ambitious and self-seeking, they placed personal gain above the interests of the country. Governor Vaudreuil had ambitions to become Commander-in-Chief of the French Army. He was hungry for power and prestige. Montcalm had, unknowingly, upset his plans. In order to hinder Montcalm's work, Vaudreuil retained command of the Canadian Militia. The Canadian Militia, a considerable force, was not part of the regular army sent over from France. Thus it was that the Canadian Army was placed under two commands. Such a situation could lead only to discord. Montcalm's strategic plans were greatly hindered by Vaudreuil's antagonism and non-cooperation.

In spite of all difficulties and hindrances, Montcalm carried on to the best of his ability. The year 1758 brought a change in circumstances. England began to intensify her attacks and Canada grew steadily weaker. The French lost Louisburg, Fort Duquesne, Fort Frederick, Fort Ticonderoga, and a number of smaller centres also fell to the British. The French were forced to withdraw to the St. Lawrence Valley. Only one fortress remained under their control — the City of Quebec. The war entered into its final phase.

Montcalm prepared for the last stand at Quebec. His problem had become greater than ever before. The regular army was reduced, as many soldiers fell in battle. Internal discord and bickerings between Vaudreuil and Bigot became more acute. In spite of all this, Montcalm continued his preparations unceasingly. He strengthened the city's defences and the army was ordered to cover all strategic positions.

On the 26th of June 1759, the first ships of the English fleet, which came to capture the city appeared. The city was besieged.

The British commander, General Wolfe, knew that he must capture Quebec before winter, or give up the siege. The British troops were not prepared for the severe Canadian winter. General Wolfe sought feverishly a solution.

On the 12th of September, 1759, Montcalm noticed that the English appeared to be preparing for something important. Montcalm had ordered a detail to patrol the banks of the river, which was considered safe, in any case, against the landing of troops because of insurmountable natural barriers — a high and tortuous coastline. Still, Montcalm did not want to take any chances. Governor Vaudreuil, however, sneered at Montcalm's order and recalled the military detail from that area. This fatal error was never to be corrected. It was precisely there that the English made their landing and, in spite of great difficulties, secured their position during the night.

Montcalm learned of the landing at about seven o'clock on the

Ambitieux et égoïste, ils plaçaient leurs gains personnels au-dessus des intérêts de leur pays. Le gouverneur de Vaudreuil ambitionnait de devenir commandant en chef de l'armée française: il était ivre de pouvoir et de prestige. A son insu, le général de Montcalm avait sapé ses plans ambitieux, et Vaudreuil, afin d'entraver le travail de Montcalm, resta à la tête de la Milice canadienne. La Milice canadienne était puissante mais ne faisait pas partie de l'armée régulière venue de France. Voilà pourquoi l'armée canadienne se trouva commandée par deux chefs, situation qui devait fatalement se terminer par la discorde. Les plans stratégiques de Montcalm étaient handicappés à cause de l'antagonisme de Vaudreuil et de son manque de coopération.

Malgré toutes ces difficultés et ces entraves, Montcalm poursuivit son travail de la meilleure façon possible. L'année 1758 amena un changement dans la situation. L'Angleterre consolida ses attaques sur le Canada qui commençait à faiblir sous les coups. Les Français perdaient du terrain. Louisbourg tomba aux mains des Anglais, puis ce fut le tour de Fort Duquesne, Fort Frederick, Fort Ticonderoga, ainsi que d'une quantité de petites localités. Les Français furent forcés d'abandonner la vallée du Saint-Laurent: la seule forteresse qui leur restât était la cité de Québec. La guerre entrait dans sa phase finale.

A Québec, Montcalm se préparait à affronter la dernière bataille. Les problèmes à surmonter étaient de plus en plus grands. Beaucoup de soldats étaient morts sur le champ de bataille. La France n'envoyait plus d'aide et les relations et les querelles internes entre Vaudreuil et Bigot s'envenimèrent, mais Montcalm ne cessa pas les préparatifs de combat. Il fortifia la cité et assigna des contigents militaires pour la défense des points stratégiques.

Le 26 juin 1759, les premiers navires de la flotte britannique firent leur apparition. La ville fut assiégée.

Le commandant britannique, le général Wolfe, savait que si la cité de Québec n'était pas prise avant la venue de l'hiver, il serait contraint de lever le siège jusqu'au printemps prochain, car l'armée britannique n'était pas préparée au rude hiver canadien. Le général Wolfe cherchait désespérément une solution à ce problème.

Le 12 septembre 1759, Montcalm remarqua que les Anglais semblaient affairés à des préparatifs importants. Il avait envoyé un détachement en patrouille près des rives qui étaient à l'abri du danger d'un débarquement, protégées par les barrières naturelles qui se dressaient le long de ces rives tortueuses et escarpées. Montcalm ne voulait pas prendre de risques, mais Vaudreuil, qui se moquait des ordres de Montcalm, rappela la patrouille stationnée à cet endroit. Ce fut une erreur irréparable et fatale. Les Anglais débarquèrent précisément à cet endroit, non sans difficultés, mais ils parvinrent quand même à s'y fixer et fortifièrent leur position au cours de la nuit.

Montcalm ne se rendit compte du débarquement que le lendemain, vers 7 heures du matin, le 13 septembre 1759. Le moment décisif était arrivé. L'armée française fut rangée en ligne de bataille et le massacre

morning of the 13th of September, 1759. He knew full well that the decisive moment was at hand. The French Army was mobilized in battle order and the battle began. Even at the last moment, Montcalm's request for assistance was refused by Vaudreuil. It was the beginning of the end. The battle lasted several hours. The French Army suffered a disaster. General Louis Montcalm was critically wounded and died a few hours later. Quebec surrendered.

In the city where Montcalm was born, there stands a monument in his honour. An exact replica of the monument was also erected in Quebec City in 1911. The monument is situated quite near the spot where Montcalm was fatally wounded. It portrays an angel crowning the wounded general with the wreath of glory. On the pedestal of the monument there is a brief but significant inscription: "To Montcalm: France, Canada." Montcalm was buried in the Ursuline Monastery in Quebec.

commença mais, même en ces moments critiques, Vaudreuil refusa d'aider Montcalm. C'était le début de la fin. La bataille fit rage pendant plusieurs heures et le désastre fut à son comble pour l'armée française lorsque Montcalm fut blessé et succomba quelques heures plus tard. La cité de Québec dut capituler.

Dans la petite cité où Montcalm vit le jour, un monument fut érigé en son honneur. En 1911, une réplique de ce monument fut érigée à Québec non loin de l'endroit où Montcalm tomba : il représente un ange couronnant de lauriers le général blessé. Une inscription, brève mais significative, est gravée sur le socle : "A Montcalm — France, Canada." Le général Louis de Montcalm fut enterré dans le monastère des Ursulines à Québec.

CANADA CHANGES FLAGS

SEPTEMBER the 13th, 1759, the day on which the English won the battle fought on the Plains of Abraham, is generally considered as the beginning of English rule in Canada. Actually, however, military operations did not cease for another year.

Having lost the battle at Quebec, the French army withdrew to Montreal. In Quebec there remained a small French garrison under Commandant De Ramesay. The English bombarded the city continuously, and the garrison was running short of food. Further resistance seemed senseless. General Murray became the British Governor of Quebec, and remained there with some 7000 English troops. The rest of the British army left for home.

In the meantime the remnants of the French army re-organized under the leadership of an officer, Chevalier de Levis. In the spring of 1760, as soon as the snow began to melt, Levis decided to attempt the recapture of Quebec. He set out with about 7,000 soldiers. On the way his little army was reinforced by another few thousand men.

The position of the English garrison in Quebec was not very good. The English, who were unprepared for the Canadian winter, suffered a great deal from the cold. Many of them died from various diseases. Levis knew of this and hoped that his attempt would be crowned with success.

When General Murray heard of Levis' plans, he decided to meet him in open combat. It was a bold decision, full of risk, because the English troops were weaker than the French.

The armies met at a small village near Quebec on the 28th of April, 1760. The English had to withdraw to Quebec City, and their only hope was pinned on reinforcements which were expected to arrive from England. On the 9th of May, 1760, the English ships did arrive and Levis had to withdraw to Montreal. Thus the curtain was raised on the final scene of the last act in the loss of Canada as a French colony.

The English carried out a three-way pincer attack on Montreal. General Murray came from Quebec, landing on the island of Montreal on September 7th, 1760. General Haviland and his army landed in the present vicinity of Longueuil. General Amherst, with an army of 10,000 men, landed at Lachine. The three English armies consisted of some 17,000 troops. On the 8th of September, Levis capitulated and all of Canada came under the English flag.

Another incident which took place in the dying days of the French regime is worth noting. On the 10th of April, 1760, six large ships and several smaller ones left Bordeaux harbour with reinforcements for the besieged French army in Canada. This operation was kept secret because,

LE CANADA SOUS UN AUTRE DRAPEAU

LE 13 septembre 1759, date de la victoire des Anglais à la bataille des Plaines d'Abraham, est généralement considéré comme le début de la domination anglaise au Canada. En fait, les opérations militaires proprement dites ne cessèrent qu'un an plus tard.

Après la défaite de Québec, l'armée française se retira et se rendit à Montréal, laissant le commandant de Ramesay en charge d'une petite garnison dans la cité. Les Anglais poursuivaient leur bombardement intensif et bientôt, la garnison commença à manquer de vivres ; toute résistance devenait inutile. Le général anglais, Murray, devint gouverneur et resta à Québec avec une troupe d'environ 7,000 hommes. Le reste de l'armée retourna en Angleterre.

Entretemps, ce qui restait de l'armée française se réorganisa sous le commandement d'un officier, le Chevalier de Lévis. Au printemps de l'année 1760, aussitôt que la neige commença à fondre, Lévis prit la décision de tenter de reprendre Québec. Il se mit en route à la tête d'environ 7,000 soldats, auxquels vinrent s'ajouter quelques milliers de recrues qui s'engagèrent en cours de route.

La situation de la garnison anglaise à Québec n'était pas très bonne. Les Anglais, qui n'étaient pas préparés pour le rude hiver canadien, souffraient beaucoup du froid. Plusieurs moururent des suites de diverses maladies. Lévis était au courant de ce qui se passait et espérait que sa mission serait couronnée de succès.

Lorsque le général Murray entendit parler des projets de Lévis, il résolut de le rencontrer sur le champ de bataille. C'était une décision pleine de risques, car les troupes françaises étaient supérieures en nombre aux troupes anglaises de Québec.

Le 28 avril 1760, les deux armées s'affrontèrent dans un petit village situé près de Québec. Les Anglais furent obligés de se replier sur leurs positions et retournèrent à Québec, espérant que des renforts d'Angleterre viendraient les tirer de la situation désespérée dans laquelle ils se trouvaient. Le 9 mai 1790, des navires anglais arrivèrent et Lévis se retira vers Montréal. Le rideau tombait sur le dernier acte de la perte du Canada en tant que colonie française.

Les Anglais attaquèrent sur trois fronts différents dans le but d'encercler Montréal. Le général Murray, venait de Québec, débarqua sur l'île de Montréal, le 7 septembre 1760, tandis que le général Haviland et son armée débarquaient dans les environs de ce qui, de nos jours, est Longueuil. De son côté, le Général Amherst, à la tête d'une armée de 10,000 hommes, arrivait à Lachine. L'effectif de ces trois armées formait un total d'environ 17,000 soldats. Lévis capitula le 8 septembre 1760, et le drapeau anglais flotta alors sur toute l'étendue du Canada.

Un autre incident notoire eut lieu durant les derniers jours du régime français. Le 10 avril 1760, six grands navires et quatre navires plus petits quittaient le port de Bordeaux avec des renforts pour secourir l'armée française assiégée au Canada. Cette opération demeura secrète,

when the ships reached the St. Lawrence, they learned that a British fleet, carrying help for General Murray, had preceded them by a few days. Unprepared to challenge the English fleet, the ships decided to withdraw to a safe harbour and await the outcome of events before returning to France. Everything might have gone according to plan had it not been for the Indians who noticed these French ships and told the English about them. The English immediately decided to engage the French fleet in battle. The English fleet was under the command of Commodore Byron, grandfather of the renowned English poet, Lord Byron. The two fleets clashed in June of 1760. It was a short and furious battle in which the French ships were destroyed one after the other.

It is interesting to note that both in England as well as in France, there were at that time famous men who attached little significance to the struggle in Canada. Thus Lord Chesterfield did not consider that Canada was worth the 80 million sterling spent on its conquest. On the other side, the French satirist, Voltaire, laughed at two nations fighting over a "few acres of snow". He thought it foolish to settle in snowed-under Canada, among beavers and bears.

car lorsque les navires s'approchèrent du fleuve Saint-Laurent, ils apprirent qu'une flotte britannique, venant à l'aide du général Murray, les avait devancés de quelques jours. N'étant pas prêts à affronter la flotte britannique, les navires se mirent en sûreté dans un port non loin de là et décidèrent d'attendre les événements avant de rentrer en France. Probablement que tout ce serait bien passé si les Indiens qui épiaient les navires, n'avaient pas averti les Anglais que des navires français se trouvaient à l'ancre dans un port tout proche. Les Anglais prirent la décision d'attaquer la flotte française. La flotte anglaise était sous le commandement du commodore Byron, grand-père du célèbre poète anglais, Lord Byron. Les deux flottes s'affrontèrent en juin 1760. Ce fut une courte mais farouche bataille navale au cours de laquelle les navires français furent détruits l'un après l'autre.

Il est curieux de noter qu'en Angleterre aussi bien qu'en France, il y avait à cette période, des hommes célèbres qui attachaient peu d'importance à la lutte qui se livrait pour l'acquisition du Canada. Par exemple, Lord Chesterfield était d'avis que le Canada ne valait guère les quelque 80 millions de livres sterling qui représentaient le prix de la conquête. En France, l'écrivain satirique, Voltaire, ironisait sur ces deux nations qui se battaient pour quelques arpents de neige. Il trouvait ridicule de vouloir s'établir dans un pays comme le Canada, parmi les castors, les ours et les monceaux de neige.

SUMMING UP

The fifteenth Century brought many changes in the life of Europe's inhabitants. These changes were responsible for the discovery of the New World and settlement of the country, now known as Canada.

The invention of the printing press, having made the reading of books widespread, increased men's desire to know and understand the world about them.

Commerce expanded and new products from distant countries, such as India and China were introduced into Europe. However, the routes to these far off places were very difficult and dangerous. Caravans of traders journeyed for many months under the constant threat of attack. It was not uncommon to be robbed of the precious spices, silks and jewels. A shorter and safer route to the East had to be found, and European navigators of this period made the finding of the new route their goal. The invention of the compass and the realization that the world was round helped them in their quest. Navigators were no longer afraid to make voyages into unknown waters. They also believed that, since the world was round, China and India could be reached by western routes.

John Cabot was one of the navigators who hoped to reach the wealth of the East by this new route. It was while searching for a seaway to the Orient that he discovered Canada.

The first to make an attempt to explore the country was Jacques Cartier. Landing at Gaspe in 1534, he planted the "Fleurs de Lis" and took possession of the territory in the name of the King of France. In 1535 he crossed the Atlantic again but this time went up the St. Lawrence River, as far as the present day sites of Quebec and Montreal. There were several reasons for the interest which the new country aroused; the desire to find a route through the West to India and China, the fur industry, the conversion of the natives to Christianity, and practical motives of colonization.

The period of French rule, full of romance and achievement, is one of the most interesting phases in Canadian history. Young colonists went through the hardships involved in changing wilderness into civilized land. Hard work, starvation, sickness, the grim struggle with nature and the Indian tribes took many lives. Such names as Jean Talon, Bishop Laval, and Frontenac will always remain in Canadian history as examples of courage and determination. The French settlers brought with them their culture, religion, their laws and traditions.

Dr. Guy Fregault, the eminent Canadian historian, has made an admirable analysis of Canadian society during the French regime. In analyzing the similarities and differences between Canada and the other colonies on the North American continent, especially the British,

CONCLUSION

Le quinzième siècle avait apporté de nombreux changements dans la vie de l'Europe. Ces changements rendirent possible la découverte du Nouveau-Monde et la prise de possession du pays qui se nomme aujourd'hui le Canada.

L'invention de l'imprimerie ayant popularisé la lecture accrut chez les hommes le désir de connaître et de comprendre le monde qui les entourait.

Le commerce s'étendit et de nouveaux produits venus de lointains pays, tels que l'Inde et la Chine, furent présentés sur les marchés européens. Néanmoins, les routes menant à ses contrées étaient longues et peuplées d'embûches. Les commerçants organisaient des caravanes qui voyageaient durant de longs mois pendant lesquels elles étaient constamment exposées à être attaquées. Il arrivait couramment que les épices rares, les soieries et les pierres précieuses fussent volées. Il fallait donc trouver une route moins longue et moins dangereuse qui menât vers l'Orient: tel était l'espoir que nourrissaient les grands navigateurs européens de l'époque. Leurs recherches furent facilitées par l'invention du compas et par la constatation de la rotondité de la terre. Désormais, les navigateurs ne craignirent plus de s'aventurer dans les eaux inconnues. Et, puisque la terre était ronde, l'on devait nécessairement pouvoir atteindre l'Inde et la Chine par l'ouest.

John Cabot fut l'un des premiers à essayer de conquérir les richesses de l'Orient par ce trajet nouveau. C'est au cours de ses essais qu'il découvrit le Canada.

Le premier homme à explorer le pays fut Jacques Cartier. Débarquant à Gaspé en 1534, il y planta le drapeau à la "fleur de lys" et prit possession du territoire au nom du roi de France. En 1535, il traversa de nouveau l'Atlantique et remonta cette fois le Saint-Laurent jusqu'à l'emplacement actuel des villes de Québec et de Montréal. Plusieurs motifs entretenaient l'intérêt que suscitait le nouveau pays: l'espoir de trouver une route menant à l'Inde et la Chine par l'ouest, l'industrie de la fourrure, la conversion des autochtones au christianisme, et finalement les projets de colonisation.

Le régime français, fait d'aventures et de conquêtes, présente l'une des phases les plus intéressantes de l'histoire du Canada. Les jeunes colons, à qui incombait la tâche de transformer une région sauvage en un pays civilisé, connurent les travaux les plus durs, la famine, la maladie; la lutte incessante contre la nature et contre les tribus indiennes coûta bien des vies. Les noms de Jean Talon, Mgr de Laval, de Frontenac, demeureront toujours dans les annales de la nation comme des symboles de courage et de détermination. Les colons français amenèrent avec eux leur culture, leur religion, leur législation et leurs traditions.

Le Dr Guy Frégault, l'éminant historien canadien, a magnifiquement analysé la société canadienne à l'époque du régime français. En analysant les ressemblances et les différences existant entre le Canada

he suggests that these similarities and differences derived from the European origin and from the geographical position of each colony.

Both England and France were Christian countries, but their forms of religion differed. France was Catholic. In 1627 the decision was made to populate the new colony only with people of French-Catholic background. Since Canada had a small population at the time, it is obvious that its future population was bound to become exclusively French and Catholic, a vital fact which influenced the development of the country and of Canadian society. England, on the other hand, developed a different religious structure. The British colonists in North America represented various Protestant sects.

There was also a difference in political structure. Absolute monarchy in England had broken down and the King was controlled by Parliament. In France the theory of the divine right of kings prevailed. These differing political developments in England and France were reflected in the political and social institutions of the American colonies.

Land Law is an important example of these differences. In Canada there arose the seigneural regime — a system by which all land was held in seigneuries, by which various individuals shared under different titles a number of rights and obligations, connected with the same land concession. In a sense the seigneurial system was outwardly an extension of the feudal regime in France, although Canada was not a feudal colony. This principle of land tenure was, nevertheless, responsible for the development of two groups — seigneurs and tenants. In the English colonies there was no such division, because the principle of land holding was based on "dominum plenum", or freehold.

Cultural development is another example of differences between the colonies. In the British colonies there was a trend towards rationalism, which found expression in newspapers, books, and pamphlets published in British America. There was no press in Canada, and higher education was still in its infancy.

Geographic conditions had their effect on the development of agriculture, industrialization, and commerce. Since the English colonies were situated on the Atlantic seaboard, they were able to maintain year-round contact with England. French Canada, situated in the St. Lawrence Valley, had only Quebec as a sea port. Thus Canada was out of touch with France for six months every year because of the winter freeze up.

Despite these differences, French Canada developed a social pattern far more complex and vital than is usually realized.

With the founding of Quebec in 1608, Samuel de Champlain laid the permanent basis of the future Canada. Several reasons led him to choose the shores of the St. Lawrence river as the site of the new colony. First, he hoped to find a passage to Asia. Secondly, he believed

et les autres colonies du continent nord-américain, en particulier les colonies britanniques, il souligne que ces ressemblances et ces différences étaient dues aux origines européennes et à la situation géographique de chaque colonie.

L'Angleterre et la France étaient pays chrétiens, mais leur mode de religion différait. La France était catholique. En 1627, il fut décrété que la nouvelle colonie ne serait peuplée que de gens d'origine catholique. Le Canada n'étant que faiblement peuplé à l'époque, il était donc patent que dans l'avenir, sa population serait exclusivement française et catholique; fait essentiel qui devait grandement jouer dans le développement du pays et de la société canadienne. Quant à l'Angleterre, elle possédait une structure religieuse différente. Les colons britanniques d'Amérique du Nord étaient de sectes protestantes variées.

La structure politique des deux peuples n'était pas la même. La monarchie absolue était devenue périmée en Angleterre, le Parlement y disposait du roi. En France, le principe de la monarchie de droit divin prévalait encore. Les institutions politiques et sociales des colonies américaines se ressentaient directement de l'influence de leurs mères-patries respectives.

Les lois agraires offrent un exemple frappant de ces divergences. Au Canada, prévalait le régime seigneural, par lequel toutes les terres appartenaient aux seigneuries; chaque individu partageait à différents titres certains droits et obligations ayant trait à la même concession agraire. Et, bien que le Canada ne fût pas une colonie féodale, on peut dire que le régime des seigneuries était en quelque sorte un prolongement du régime féodal français. Partant, il se créa au sein de la communauté deux groupes: les seigneurs et les tenanciers ayant en roture la terre dépendante du fief. Les colonies anglaises ne connaissaient pas de telles divisions, la possession des terres relevant du principe de "dominum plenum", c'est-à-dire, de propriété libre.

Le développement culturel offrait un autre exemple des différences existant entre les colonies. Les colonies britanniques connaissaient une vogue de rationalisme, diffusée par les journaux, les livres et les brochures publiés en Amérique britannique. La presse n'existait pas au Canada et l'éducation qu'on y dispensait était élémentaire.

L'essor de l'agriculture, de l'industrie et du commerce variait selon les conditions géographiques. Les colonies anglaises échelonnées le long du rivage de l'Atlantique, maintenaient des relations avec l'Angleterre tout le long de l'année. Le Canada français, situé dans la Vallée du Saint-Laurent, n'avait qu'un port de mer: Québec. Il en résultait que le Canada était privé de relations avec la France six mois par an, en raison du gel hivernal.

En dépit de ces différences, le Canada français eut en propre des impératifs sociaux d'un genre particulier et bien plus complexes qu'on ne l'imagine généralement.

Lors de la fondation de Québec en 1608, Samuel de Champlain jeta les bases permanentes sur lesquelles reposerait le futur Canada. Plusieurs raisons l'amenèrent à choisir les rives du Saint-Laurent comme

that the fur trade would help to finance the colonization of Canada. This proved later to be a point of difficulty, because the fur merchants were not interested in colonization.

By 1641 the colony numbered about 300 persons, who lived around the trading posts of Quebec and Three Rivers. Champlain's third motive was to found an agricultural colony. In this he was unsuccessful; in 1641 there were only 20 arpents of land under cultivation.

During the next twenty-five years Canada experienced accelerated growth. Two factors accounted for this development — the missionaries, and the growing middle class. Both were interested in a large population and a stronger colony. Their efforts proved successful, for the census of 1666 records a population of 3,418 inhabitants, 1,600 of whom lived in towns — Quebec (555), Three Rivers (461), Montreal (584).

When Jean Talon came to Canada, he instituted a vigorous policy of economic development. By 1675 New France had a population of 8,000. He encouraged the establishment of trade, manufacturing and commerce. Unfortunately the impetus which Jean Talon had brought to New France in developing the economic potential of the colony, was not continued after his departure.

In 1689 conflicting interests brought Canada into a war with the English colonies. The causes of this war have been explained as follows.

Canada was only a part of New France, which was a great political and economic unit embracing Acadia, Hudsons Bay, Canada, Louisiana, and the French portion of Newfoundland. It was clear, however, that if Canada should fall, New France would disintegrate. On the other hand, torn away from the framework of New France, Canada was not likely to survive. Protected by distance from the English colonies, Canada had developed slowly. However, Canada had to expand in order to prosper, and this meant collision with British North America. As a result of the treaty of Utrecht, New France lost Acadia, Hudson Bay and Newfoundland.

Canadian society under the French regime did not differ radically from any other colony in North America, but as in France the political regime was more authoritarian. At the bottom were the peasants and artisans. Above them were the commercial groups, making up the middle class. On the top were the military and the aristocracy who controlled the affairs of the country.

Dr. G. Fregault suggests that the above account of Canada's social development and social structure does not conform with the accounts given by most historians of Canada who attempted to reconstruct the society of the French regime on the lines of a defeated and crushed Canada. As Dr. Fregault states, these historians read history backwards, arriving at the conclusion that under the French regime the chief factors conditioning Canadian society were neither the existence of the French

sîte de la nouvelle colonie. En premier lieu, il espérait trouver une route menant vers l'Asie. Deuxièmement, il crut que le commerce de la fourrure servirait à financer la colonisation du Canada; où il se trompait, les marchands de fourrures ne se souciant guère de la colonisation.

En 1641, la colonie comptait environ trois cents personnes, vivant aux alentours des comptoirs d'échange de Québec et des Trois-Rivières. En troisième lieu, Champlain désirait fonder une colonie agricole. Il n'y réussit pas: en 1641, seuls vingt arpents de terre étaient cultivés.

Pendant les vingt-cinq années suivantes, le Canada prit de l'importance, grâce aux missionnaires et à l'accroissement de la bourgeoisie. Missionnaires et bourgeois souhaitaient ardemment cet accroissement de la population qui fortifierait la colonie. Leur voeu se réalisa et le recensement de 1666 révélait déjà une population de 3,418 habitants, dont 1,600 vivaient dans les villes: Québec (555), Trois-Rivières (461), Montréal (584).

Lorsque Jean Talon arriva au Canada, il instaura une vigoureuse politique de développement économique. En 1675, la Nouvelle-France comptait 8,000 habitants. Jean Talon encouragea le négoce, les manufactures et le commerce, il imprima un renouveau à l'économie du pays; malheureusement, cet essor ne survécut pas à son départ.

En 1689, le Canada fut entraîné dans une guerre contre les colonies anglaises. En voici les raisons.

Le Canada ne constituait qu'une partie de la Nouvelle-France, grande entité politique et économique comprenant l'Acadie, la Baie d'Hudson, le Canada, la Louisiane et la partie française de Terre-Neuve. Il était évident que la chute du Canada entraînerait le démembrement de la Nouvelle-France. D'autre part, détaché des cadres de la Nouvelle-France, le Canada ne pouvait survivre. Grâce à la distance qui le séparait des colonies anglaises, le Canada avait pu se développer petit à petit. Néanmoins, il fallait que le Canada s'agrandit afin de prospérer, ce qui, d'autre part, ne pouvait que provoquer des heurts avec les colonies anglaises d'Amérique du Nord. Au traité d'Utrecht, la Nouvelle-France perdit l'Acadie, la Baie d'Hudson et Terre-Neuve.

Sous le régime français, la société canadienne ne différait pas radicalement des autres colonies de l'Amérique du Nord, mais, ainsi qu'en France, le régime politique y était plus absolu. Au bas de l'échelle sociale, se trouvaient les paysans et les artisans, la classe moyenne était constituée par les groupes de commerçants et l'élite comprenait les militaires et l'aristocratie qui dirigeaient les affaires du pays.

Le Dr. Frégault souligne que ce tracé du développement social et de la structure sociale du Canada ne s'accorde pas avec la description faite par la plupart des historiens du Canada qui se sont plu à décrire la prétendue défaite et l'écrasement du peuple canadien sous le régime français. Selon le Dr. Frégault, ces historiens ont lu l'histoire à rebours, ils ont conclu à tort que la société canadienne fut modelée par les paisibles travaux des champs, alors que les facteurs déterminants consistaient en la présence de la France en tant que mère-patrie et en la prépondérance du commerce de la fourrure. En effet, le Canada avait adopté ses

motherland, nor the fur trade, but the peaceful work of the countryside. In fact, however, Canada possessed political and social institutions borrowed from the motherland, and adapted to the conditions of the New World. As in the other colonies, there were in Canada peasants, artisans, labourers, a middle class, soldiers, clergy and the aristocracy. The chief difference between Canada and the British colonies lay in the fact that Canada at the time of the conquest had a population of sixty thousand, whereas the English colonies had a population of over one million. This was the major cause of the conquest of Canada. Quebec fell in 1759, and Great Britain, by the Treaty of Paris (1763), took possession of the country. Thus ended the first chapter of Canadian history.

institutions politiques et sociales de la France, pour les adapter ensuite aux conditions du Nouveau-Monde. Ainsi que dans les autres colonies, le Canada avait ses paysans, ses artisans, ses ouvriers, une classe moyenne, des soldats, un clergé et une aristocratie. La principale différence entre le Canada et les colonies britanniques tient dans le fait qu'à l'époque de la conquête, le Canada avait une population de soixante mille habitants, alors que les colonies anglaises comptaient déjà plus d'un million d'habitants. Voilà la raison majeure qui explique la conquête du Canada. Québec tomba en 1759, et la Grande-Bretagne, selon les termes du Traité de Paris (1763) entra en possession du pays. Ainsi se termine le premier chapitre de l'histoire du Canada.